劉福春・李怡 主編

民國文學珍稀文獻集成

第四輯

新詩舊集影印叢編　第130冊

【沐鴻卷】

天河

上海：光華書局 1927 年 3 月發行

沐鴻 著

夜風

上海：泰東圖書局 1928 年 4 月初版

沐鴻 著

花木蘭文化事業有限公司

國家圖書館出版品預行編目資料

天河／夜風 沐鴻 著 -- 初版 -- 新北市：花木蘭文化事業有限公司，
2023〔民 112〕
94 面／216 面；19×26 公分
（民國文學珍稀文獻集成・第四輯・新詩舊集影印叢編　第 130 冊）
ISBN 978-626-344-144-6（全套：精裝）
831.8　　111021633

ISBN-978-626-344-144-6

民國文學珍稀文獻集成・第四輯・新詩舊集影印叢編（121-160 冊）
第 130 冊

天河
夜風

著　者　沐　鴻
主　編　劉福春、李怡
企　劃　四川大學中國詩歌研究院
　　　　四川大學大文學學派
總編輯　杜潔祥
副總編輯　楊嘉樂
編輯主任　許郁翎
編　輯　張雅淋、潘玟靜　美術編輯　陳逸婷
出　版　花木蘭文化事業有限公司
發行人　高小娟
聯絡地址　235 新北市中和區中安街七二號十三樓
　　　　電話：02-2923-1455／傳真：02-2923-1452
網　址　http://www.huamulan.tw 信箱 service@huamulans.com
印　刷　普羅文化出版廣告事業
初　版　2023 年 3 月
定　價　第四輯 121-160 冊（精裝）新台幣 100,000 元　

天河

沐鴻 著

沐鴻（1900～1980），學名高成均，又名高沐鴻，生於山西武鄉。

光華書局（上海）一九二七年三月發行。原書三十二開。

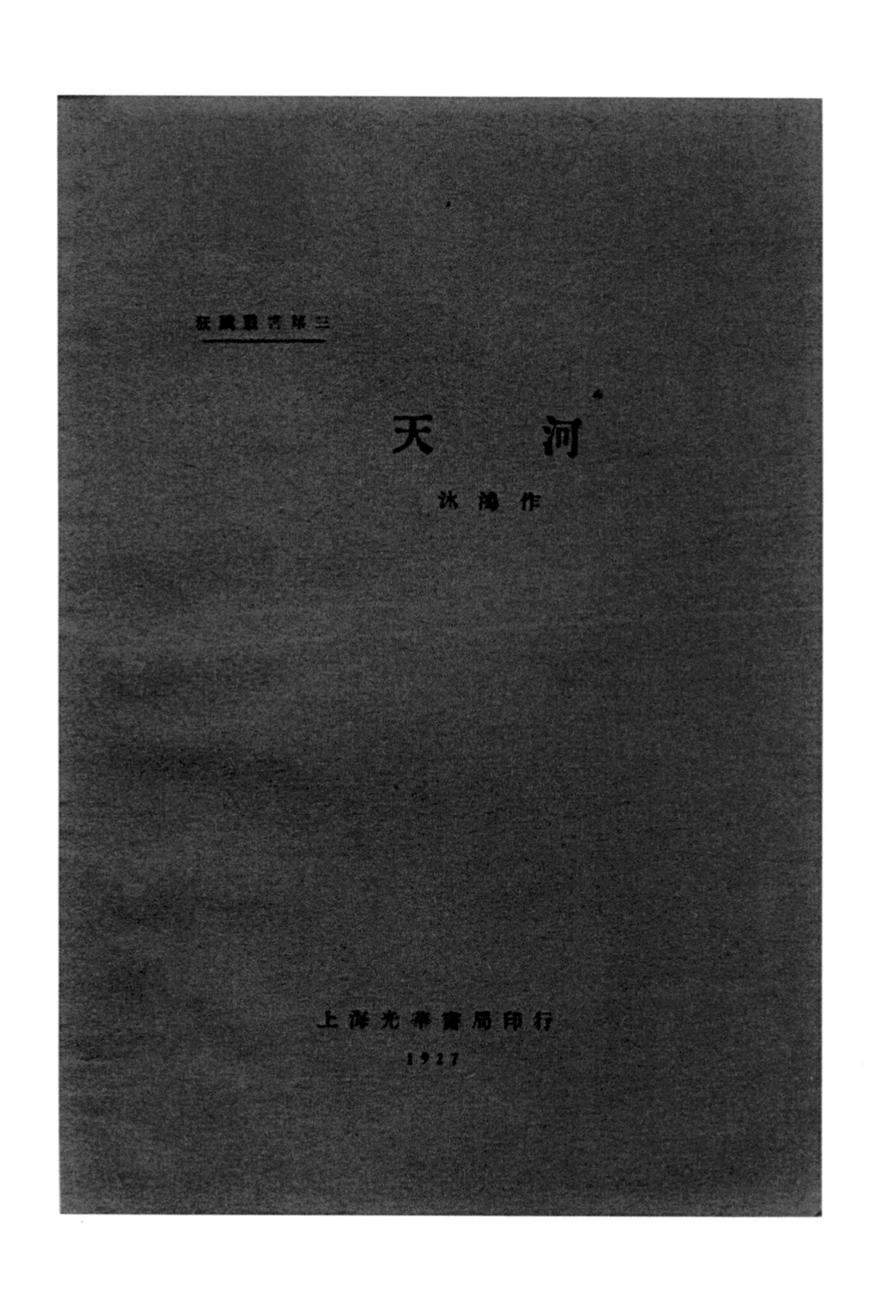

狂飆叢書第三

天　河

沐鴻作

上海光華書局印行

1927

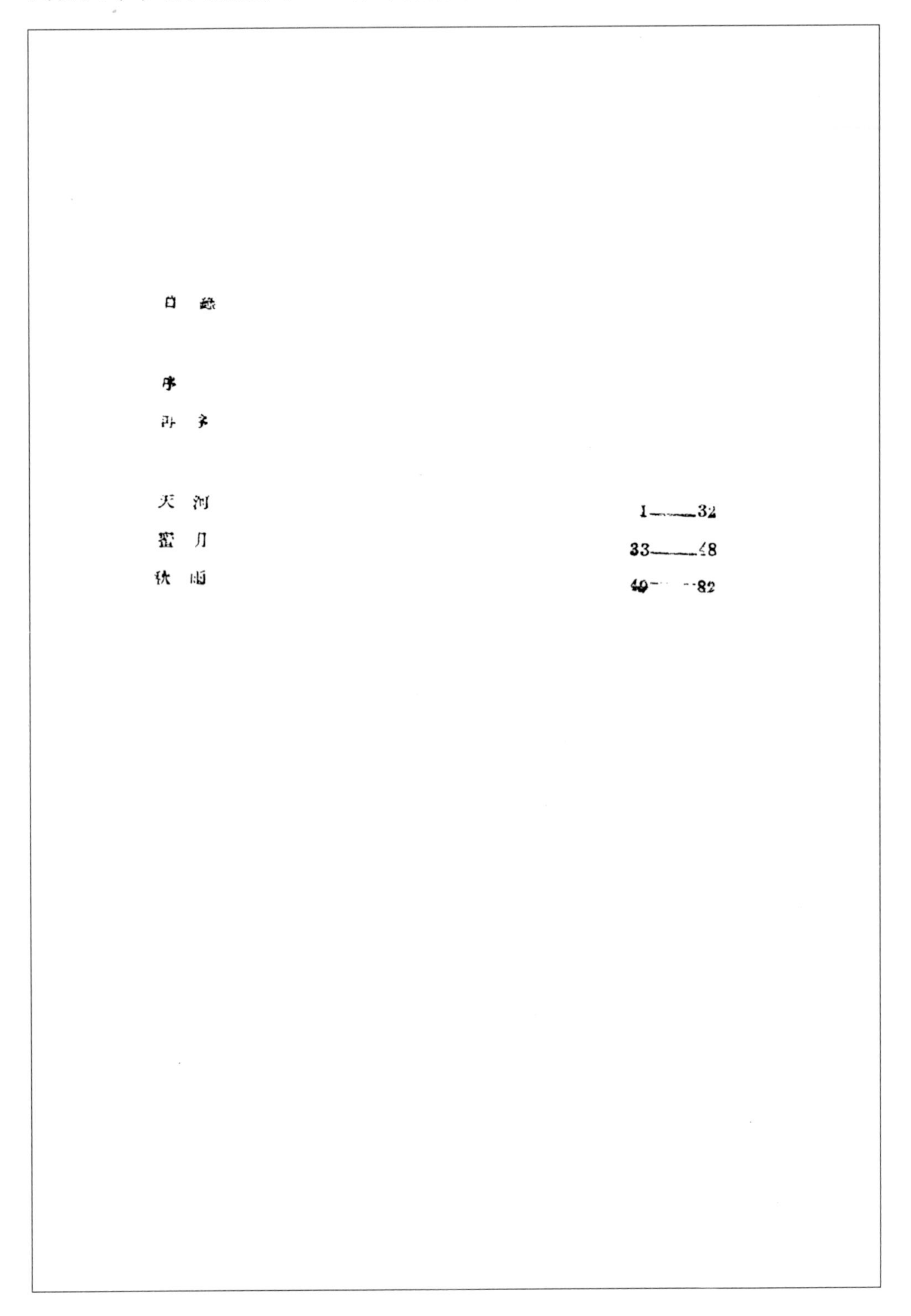

目 錄

序

天河在流。你哀戀的懦者呀！那河畔佇望着你的愛人、你猶豫着什麼而徘徊趦趄呢？她的淚，搏擊着天河，四在横流；你殘忍的不信的騙徒呀！爲了什麼只瞻望着河水、搔首踟躕呢？

天河怒號着在流。你不仁的畸人呵！她聲聲的悲歌苦詠，紬繹着天風與水流。風在呼，水在叫；你殘忍的不信的騙徒，把你的生命看高尚些罷！你實當拿你的肉體與河浪鬥；你實當跳身在這條呑噬愛戀的毒獸之口。

天河傲歌着在流 。牠期待着呑沒這雙美的兒女的肌膚。罷！你無力的小虫呀，將你的生存奉獻與强者罷！然豈無末日之戰鬥麽 ？你的愛 她能在河浪裏泅游；擁抱去也！擁抱去也！携得過河岸、擁抱去也！——便携不過、也須共葬於中流。

二五，三，一三，作者。

再　序

我所最愛的，
我請贈你以這個佩袋！
牠那精緻的花紋，
是我揀擇着我心上輻射着的哀光，
自我的胝胼的手上一針一針地繡成。

牠腹內滿盛着我的
脫落了的髮與齒
與腦血·與眼淚與唇紅；
包圍了破碎了的我那顆心。

請收藏起牠罷我的愛人；
這就比如我的
一個生存的墓塚
眞實而可辨認 。

二五，三，一二，作者。

天　　河

天　　河

I.

吾愛：吁，我問天罷！此蒼老之翁，早想置吾墮落的下衆於腦後了啊。天不言，天何言哉！—— 我所欲言，何以脫出悲哀？人類是何等堪憐憫呢：活在這個無'悲憐'意義的世界，這個無天帝的世界。

繼續總是一件進化的勾當。悲哀的繼續，我尤其以爲如此。我深沉地悲哀，我努力地悲哀罷！一切將貽我以無限發榮的花朵，在悲哀之海島上。我受之不辭，我敬受之。惟悲哀可導我至神的路中，惟悲哀爲偉大。

我至今才愛紙片與文字，有如我的最愛的你。紙片呢，一頁一頁上泛濫着我生命的河流；文字呢，一行一行中繪染着我的畫像。我的愛人，離開你，我怎能不跳上這兩位同情者的抱中，永誓歌舞呢！

愛無門限，得讓人踅入。然而在卑鄙的肉體上，卻仍有門限存在。吾愛！你雖尚幽閉於深室，迷離於俗言，然吾愛之則愛之已耳，有誰持刀威嚇我的心呢？便嚇，誰會怕他呢？但是，我的心雖然承認你我已經互相佔有了，而終不能致你我於門限之內。卑鄙的，性靈的誘引哟？唯一的愛的眞實喲？我戰不勝你這權力的神！我不希望戰勝你這眞實的神！我還須努力踐行着你的教訓，奪回吾愛於魔陣之中，爲我佔有。

吾愛！你現在我的抱中甜眠麼？否！否！不然！你囚在鬼的門限之內。阿！致之不能！致之不能！我無力的懦夫，且悲哀罷！悲哀是可立致的！悲哀是可立致的！

天不言，天何言哉！——吾所欲言，何以脫出悲哀？

II.

……這兒是說不出話的，只有嗚咽在筆端了。……我所最愛的，我們是懦男弱女，一切讓强者蹂躪了，佔有了，制裁了——然而他們是何等不可饜足喲！他們在你和我的推讓之中，作了一切所可攫得之物的爪牙。他們眞厲害！他們竟至擴充淫威到了這個萬無他們佔有的可能之‘愛’上。我們長跪拜罷，跪拜他們的勇氣，足以奪去‘愛之自由’。

爪牙是自私於爪牙的，爪牙是自私的自身。吾愛，你是曾邀他們作爪牙嗎？——然而你的自由，現蟄伏於這些爪牙之下。

——不然，大謬！我親愛的！假使你的臉上曾泛出一點慍意，我便抗歌去了，揚長去了——然而實在是你身後的爪牙在怒吼呢。假使你的眼中曾射出一點矜飾之光，我便徜徉去了，痛哭去了——然而我所見的是你背後的爪牙猙獰之目。

我可以自羞嗎？我誑語了嗎？你的心，愛人，牠飛落在我明虛的眼睛裏，是無可逃其鑑的。你的慧眼，曾轉出你的哀情，在我永記不忘的你最初贈我的那一瞥裏。我真個蠢笨？我真個不懂你的目語？禮義底鉄箍緊箍在你的頭上，我感謝而佩服你的勇氣有此一瞥。這足以表徵愛的偉力，終非一切網羅所可制服，而能挺然拔立於污流穢溷之中，不倒不倚。

勇敢的愛人，請你革除掉你的爪牙能！愛是無爪牙之必要的！——而今竟有人喜作爪牙了。

二四，二，五。

III.

吾愛：我曾爲你如是以禱天帝：

假使'愛'終是寄足在荊棘之上的，天帝呵，我請你速將你那懲罰之失，噗哧地射在我的胸上！女神的胸懷，如果僅藏着無盡的惡意的未發之笑，天帝呵，我請你早將這無邊愴痛的宇宙中的

—— 3 ——

滑稽之劇，從你手腕中收拾起去。更無意義可尋了！天帝，我請你收拾起這多幕的滑稽劇。
固然，可憐的渺小的吾輩——渺小的吾輩呀，置存在你的足下，只能颺起污穢的塵埃——愚昧的虫豸呀！吾輩！只有污穢圍繞着我的生命。然而天帝呵，這是在你不打算了：你何須創造這污穢渺小的下衆，在你純潔的快樂的掌中呢？
你何須寄存我們於你的足下呢，天帝？我們從不知生命曾有意義，除在默誦你的'生命的囑託'；我們曾不知生命允當經痛苦與悲哀的煅煉，然而現在誰桎梏着我們，不肯放鬆一指？是了，天帝，你錯了，你在不打算了！你為什麼永遠不憚煩地開張弛的幕？……
——是了嗎，天帝？我更須從這一條所不敢猜不忍猜的小道上，尋找你隱微的心跡嗎？是麼，天帝？我敢從這條路上尋找你的心跡，我不為失敬於我至愛至尊的神祇麼？——假如我終不了解你靜默的言語，我須得冒罪猜你，我並且當呪咀你：你在把我們這般渺小的虫豸當做幾等角色，給你在偉大傲慢的眼下，輪迴無已地開展悲劇呢。是了，天帝，一切生命，都是你的幻術，都

—— 4 ——

是取來以飽你眼慾的悲劇裏的人物！……呵！更
何處有個慈悲的天帝？——
我所最愛的！我望你亦曾爲我如是而禱。

IV

吾愛，我送給你的贈品，你還未之一睹呢。——因爲牠是暗夜中所不能見的。在自號爲明且智者的眼中見到我所送給你的禮物，是穿着‘無謂的冠裳’的犧牲。然而我却悚懼了，我不敢欺僞的承受此美舉。

比如我敢睜圓眼睛看你，人們便給我的頂蓋上安放了一個聳高的荒唐之冠。這在你能認爲我所送給你的贈品嗎？再如我倩人請示你的老父，而你尊嚴的老父竟堅决地拒絕了我，甚或出之唾罵。這在你能認爲我所送給你的贈品嗎？

更如風雨滿巷，我走在下泥濘而上朦朧的狹道之中蹶跌失足，惹笑衆庶，這在你能認爲我送給你的贈品嗎？

不然，不然！人所認爲我的犧牲，也許你便認爲我所送給你的贈品。然而我眞勇敢！我並不餒縮！我不懼一切俗！一切俗的打破，是犧牲的意義麼？………

我所犧牲，僅在你不能承受我的愛時。

失敗有什麽意義呢?目的做到,犧牲一切,還是成功。我正在懼怯失敗之中,愛人!我並未做到犧牲。我的贈品,你還未之見呢!

V.

吾愛!我不能,我眞不能和你說話有個了時。這許便是愛的意義罷?假使我猜的不錯,那麼,我眞偉大!眞勇敢,眞榮幸了!我的生命,將常在新鮮與進步之中。

我拚命地寫着,我感到了無上的愉快;我寫着這些言語時,如同對面和你作談——這也許是愛的意義罷?假如我猜中了,我將於何時方落筆呢?

不在夢中,便話中乏味了。夢中充實着新鮮的快樂與希望,與理想。吾愛,想你也在做夢呢,雖然你會羞澀地說出'未曾'二字。

我願我得常住在你的溫暖的心窩裏,不已地做我的夢!

二四,二,七。

VI.

那是一隻絕倫的奇鳥——美麗的皇后。她沉鬱地氣憤着,撲跳於金絲鐵柱的囚籠裏。喂,鳥啊,驕傲的美后，你在嘆息些什麽呢？何以至此哉？我的驕傲的'愛'，'何以至此哉？'………

當你翱翔於天空時，鮫人們誰不向你極口誇稱呢：自然的使者呵！你佔有了青空的渺茫，你拂扇着幻美的雲霞，天風垂伏在你的翼下，翠嶂磨着你的胸腹。呵呵！你自然而優逸！你逍遙而自在！呵呵！你可以驕傲了，絕倫的奇鳥！祝福你！祝福你生存於無限的時間！祝福你嫁給一隻雄壯的飛鵬！祝福你沐浴着清和的愛的海。

但是爲什麽你終於要墮入這囚籠裏來呢？

鮫人們競言你貪'價'，但是什麽是你的價值呢？金呢，玉呢，價值萬億而已；你也有了價值，什麽是更貴重的呢？你不得比金玉，因爲你所貪的價是幾口黃小米；你更非無價，因爲你曾貪價的。但是有價貴呢，無價貴呢？

呵，絕倫的奇鳥！美麗的王后！驕傲的愛！宵小們給你論價了！

二四，二，八。

VII

北風發發地括着。大樹發出驚人的喊叫。捲去了！捲去了你的愛戀！

伊無力地被捲去了。這裏沒有可怨憤的。伊的心雖然染了秋的黃塵，神賦給伊的美總存在着。

捲去了，雖然在黃塵滾滾中捲去了，神賦給伊的美總能從你的閉眼裏覓着。這不是顯示伊的缺點，這是顯示給你以'奮鬥將得到勝利!'

假使你止步了，伊便隨着黃塵捲去了；假使你努力使你的脊下生出兩隻長翅，那麼，你不能直撲上黃塵，追隨伊後去麼?

假使你更有兩條強有力的臂膀，那麼，你不能牽住伊的裙邊，使伊掉落在你的足下麼?

眼看着，伊直上青霄了，飄泊在無何有之鄉。你為甚麼總怔忡地空作孤獨之鳴呢? 即使你沒有強的臂膀和長的翅，你可以折取所有的大樹的壯枝，作為利箭，挽滿你的'愛力'的弓，射向伊去——這不使你受慌，怕伊誤中了流矢；因為伊正在被惡神緊緊地抱在懷裏。

惡神的獰厲的笑聲消匿了！你的愛戀，被鎖在暗室裏。為甚麼你空空地怔忡地哭呢?

這樣發發地北來的冽風，不仍冲擊在你的耳旁麼?保守有甚麼所得呢?！淚有甚麼代價呢?！'大樹驚人的叫喊着，警告你以失敗了！

VIII.

我愛！我用我的你所愛撫摩的雙手，拱送給你一朵素麗的花。你能詠嘆我的純潔麼？——然而為甚麼你終於背着臉兒丟我去了呢？

我愛！我用我的你所愛的紅豔的雙唇，緊吻着你的枯燥像沙土似的舌。你能感激我的愚癡麼？——然而為甚麼你終於背着臉兒丟我去了呢？

我愛！人家所有豐厚的，花彩奪目的粧奩，眞能惹起你的鄙視麼？——然而為甚麼你甜蜜地收受了呢？

你所貽我的花圈，耳墜，手絹……以及你所曾說過的香甜的話，一切在現在使你不願再想了。我對牠們，聞出一種奇異的臭味。我有如剛披上袈裟的和尚，深深懺悔我的既往！

IX.

請！請！我的強利的心，用力罷，剛刀斬不斷這些纏繞的蓬藟麼？請，請，莫猶豫了！蓬藟在你是以為無刺的麼？請射注出你血管中所有的毒液，凡為你勇力所能及的地方，請連你的心都扛起來，放一回赤色的血花，剷除盡這些纏繞了愛情的蓬藟！

殺呵，殺！吾愛的！假如你不愛我，我可以都從刃底放過這些仇敵！但是你愛我，吾愛的！這般東西，方在痛飲我們血汁淚液發酵了變成了的酒，而醉至醺醺了！殺！吾愛的，殺不盡仇敵，你我勿再作夢！

現在，我惟有勇與憤了。我有澎脹的肚囊，滿裝着不平之氣。來！我們試作一回戰爭！——愛情也是帶此血色罷！

巧言如簧！他們攢簇着我倆悲苦的命運，掛在他們血盆的嘴上了。我的親愛的，殺罷！只有殺是他們所畏懼的……

二，一一。

X.

你們是愛的監視者麼，我的可憐的心呀！假使你承認了牠，你不覺得一羣鬼魅圍繞了你嗎？………

主愛之魔，老趑趑地悠悠然發出模棱的獰笑，他在竭智盡忠於你麼？吾愛的，你了解他竭智盡忠於你的原故麼？他居你爲奇貨了！在他無耻的貪鄙的笑聲裏，一切都暴露了。金錢是你的價值麼？那麼，什麼是愛的價值呢？………

監愛之魔，時常圍繞於主魔之旁，而在肆口毀謗你所愛的。吾愛的，你以爲他們的確是你的手足麼？但是這般手足，增加不了你的活動，而且徒增加了你的拘禁！

吾愛的，你不見汚穢的猙獰的嘴，在吞噬着我們的兩顆心麼？'愛'在這兒慘痛地呼救了，罵你我做奴隸！

他們也有銳利而虛僞的甘言，可以羈縻着你的未放肆的心腸。你幼嫩的心力，支撑不住這些重壓便屈服了嗎？你便讓這些鬼魅，包圍了你，監視了你，而終於在你最後落井時，再讓他們下石麼？是？是這般的命運，我不可以早死在你芳春的早晨，而冀以喚醒你的勇敢與反抗嗎？太陽落了，你看那暮色沉沉中還有個'愛'在否？——吾愛的，你的抵抗力在熟睡了麼？

——明白告訴我！吾愛的！假使你在不答我，我可以早自裁了！是這般優柔失算，我們的命運啊……

'婚姻主自父兄'，你曾如是以詢問你的聖明的心麼？——他曾回覆你以肯定的信件麼？吾愛的，此神聖的心！此智慧的心！此憐憫的心！你必須禱告他爲你作主！

吾愛的！你的慈母死掉了，你的身子屈伏在羣鬼之下！這些聲音——'母親呵！'——是最有靈異的，你可以從這杳杳冥冥的哀痛裏，見到你的慈母顯現在你的面前。吾請和着你哭罷！吾愛的！——祇有惡魔在不睬你的淚中有殷紅的血珠！

XI.

你跪在這兒，我爲你設祭。

亡靈端臨在我們頭上呢，吾愛的，你誠意地跪着！代祭的祭文是要這般朗頌的：

"你從不曾以我爲有價的東西，吾親愛的母親！我不曾一次聽見1．2．3．4．……‥這些聯合的數目字，加在我的身上。我以爲我是個'人'！母親！——你在醒着聽我麼？

"但是，我現在成了奇貨了！我尊嚴的父兄，居我爲貨！——你所給他們臨終的言語是在渺渺而且逆耳了！

"我所心愛的人，我欲飛墜在他的懷裏；但是我父我兄，猙獰地怒着，用頑强的繩索，絆折了我的雙翅！

"我所心愛的，吾欲告訴他以幾句默語—— 這是母親的敎訓；但是父兄以我爲狂蕩，他們用鐵件箝了我的嘴！

"我所心愛的，我欲嫁他，但是父兄總嫌他多不稱意！

"母親！你在細聽我的說話麼？你莫不是也如我的父兄以我爲貨麼，而欲自我取值，以償他們一輩子的客嗇罷?你默默無語，我不是你的肉麼? 你可以從你的胯下，割一塊肉，給人家作犧牲嗎? —— 但是我可以遵這些亂命嗎?我的母親，但是我不是早些死了，便乾淨了嗎?什麼是'純潔'，你所以教我的，母親?………

"吾所心愛的，他在和我同祭你呢。這不是一塊玉嗎?我明眼如鏡的母親!純潔的意義，不從這裏找，我將更迷了途呢!他們導我於迷途之中，而欲俟我跌倒時，用利嘴啄食了我!母親，你現在不肉顫嗎?你所生的孩子，所嫁的丈夫，天呵，怎麼都愛食我的肉!

"我惟一的保護者，現在跪在你的靈前，我將從他逃去!我將要求我心作主，脫出了這殘食的家!我將從他飛去，跳去，奔去………而我終不能忍受家庭之鬼的宴前的僕役的職務了;而我終任他們割取我的肉，煮熟在血盆裏，吱吱地肆口嘗試了;而我終將跛足逃去!"

你可以站起來了，我所祭給你母親的，是你的心裏靜默之聲—— 你可以力戰了，不然你可以從我逃去!

二，三。

XII.

我們將在永無晤面期了!你被強者奪去，我沒有力量從他們兇利似虎狠之手掌中，取回愛來!

——13——

我祇夢見你在暗泣着，因爲你還沒有力量，可以痛號；可以大胆地痛號於恩衆之前。

一切人或有一二爲你我惜者，但决無爲我們的幫手者；除了詈駡的出力之外。

我愛挨駡，假如我可以得到你。但我方在夢中會見時挨人的駡，這不是不值的事！

悠悠天地！悠悠天地！夢影不會消滅，怎樣熬煎這悠悠歲月過去呢？

我可以不得你的許可，而遽沉入深淵麼？吾愛的，誠然有個上帝承認了我倆是悲劇中的人物，而在宣布着我們的短命嗎？可愛的吾愛，吾可以靜靜地領悟死之音樂的妙節，而從這兒找尋見同命的你底純潔之靈麼？是了，我可以死了，雖然我尚可以作成長的詩歌。

你微皺眉間，我便去到你的幻想的眼睛所看到的地方。我可以孤獨凄涼地站着，讓你的靈魂，認我爲愛之鬼魅，我的哀泣在你的心室裏騰動着；於是你可從哀泣的最終敍話裏驚醒一次。

假如你再朦朧着，我便又可以去到你底夢的眼睛所看見的地方。我雙合着眼皮，挺直而冰冷地躺在你的身旁；你的靈魂，便又寄給我的死壳了。你痛哭，你猛力搥胸，我並不一動。於是你又哀泣而驚寤了。

一次，二次……你可以苟延殘喘在夢影中！

XIII.

——瞽者的咒語，未曾引起自卑心。我仍鼓起硬翅，飛向快樂的夢之鄉去——幻之鄉去。然而誠如長虹所言：“夢幻之酒，不太乏味了麼？”我底心——我被得罪之心，我祇有刳去惹草招風之目以謝汝；汝其聽着！

“假使你的哲學，心呵，是充實而且頑固，那麼，自然吾不應從目之甘言，飄向荒唐而詭麗之場。心呵，假使在太古的曠野，都是樸質不文的大石存着，那麼自然我不應蔽於喧嘩與繁縟，而使你破壞了眞實。”……我祈禱而且謝過：

“最後之忠告，玄微地搖動牠的小鈴；鈴所有的歌吟，不完全是對目之怨詞麼？呵，心呵，我所有足以謝過於汝之前的，只有刳目之一途了！

“你在駡着目之荒唐，用了這般言語？——

那女兒未必眞能浴吾之魂於清漪廉潔的波中；伊未必能張我之翅飛向青青之天空。只你——目——睜了完全盲了的眼睛，用你腥膻汚穢的手，拿伊——那女兒——的影兒，墊着我空虛的夢。你具有婦人陰毒而僞善的心，想致我命於一朵未放的惡臭刺人的花下。我罪果充滿之目喲!你只有引誘着你的幼稚的主人而沉酒湎色，造成你們的一件一件的偉大功績呵!

然而我謹愼着，去向伊所經過的道中;羣狼在咆哮而怒張其爪牙;似盡忠於一個未破裂的屍身。我胆寒而且悲哀了，我欲退去——然而你睜睜地在跟着伊走，好像你們的兄弟——那女兒的眼一曾報你以款待之笑。然而你導我至於何處?你所能得到伊的贈予是些什麼?我迷途了，而你目在腫似胡桃。你底明利尚未曾警告你以失敗麼?………

呵，目呵!你的罪過已經不赦，我請得愛神之命令了!

"心呵!我願你曾以是語戰勝了目——天所賦給我的煩惱，都是牠導我去嘗試的!"

——吾愛喲!我將爲你而至刎目謝心了!

二，一三。

XIV.

我必須宣佈的死刑了!我的罪過之目!我戰敗於'心一我'戰爭之下，而將至成爲待斃之俘虜了。罪過之目，我別無可致謝於心之前，而逃我被汚染似醉色的敗葉之生命，我惟有殺汝以謝心！

你高揭着伊的倩影，而使心羨慕牠，贊美牠。你知道你的仇敵——心，是慣於被迷惑的；你常想以醉人的酒，或則惑人之色，欒死他衝動的微渺的生命——不幸你便找着了：你高揭着伊的倩影，而使心羨慕牠，贊美牠。

羞恥呵！我不得宰我之一身，而使你倆——心目——每以敵愾之躬相見！你是他的勝利者；在他赤裸的肉背上，曾踏有不可數而深刻的足印；這在你是勝利的紀念，將永遠不滅了；但是我却常呻吟於他的權力之下！

罪過之目，你得罪於我心！我更無可致謝於牠，除却殺汝的一途！

伊總美麗，不至無端飛進我的靈殼；罪過之目，你甘做渡船，渡伊入於我愛之洋裏，而飄沒我心於伊之懷抱，而使伊奪了我的勇氣與生命！

你使我的心，明銳而且不躲避地盯着伊的美麗；牠於是醉了，醉倒在伊的臂上！

你誘惑牠以伊之美爲可掠取的；你再四閃動，以顯示生命之趣樂；於是牠迷惘了，濃睡在伊的臂上，作一切未曾有之好夢。

但是好欺終久是逃不掉失敗的。你所謂美，在你狡

—— 17 ——

獰而光射的視線下，明白地被人奪去。於是你致你的仇敵——心——之命的目的算達到了。

是呵，達到了你的心願。但是我於是乃戰兢於心之威嚴的申斥之下了！我除却殺汝以謝心，是更無可求赦於他的了。罪過之目，假使你永在不睬伊之美麗，那麼，我的心不朴質完美如一塊石麼？——現在却齏碎了，沙沙地響着，片片地掉着。牠奮最後之力，對我下最後之忠告，而要求刎你，要求致你的死命！

吾不得不——吾必須速宣佈你的死刑！

吾愛呵，吾爲你而必須刎目了！

二，一四。

XV.

久死的夢魔復活了，在一個惛睡的單室裏。

我的夢魔，——我的愛憐的女子！

你復活了，在我的單調的相思裏！

我有最貧乏之身，存在於這個一切富有的世界裏；因爲我的愛，尚然置存於惡魔的鐵庫中，做着欠債的抵押！

貧乏的我——只以愛未收回，所以終竟是個貧乏者！

然而愛呵，假如你是可以金錢收回的，我還有少些罪過的私產，可以傾囊於你老父的手前！

然而愛呵！你的老父惡駡我是個蕩子！因爲我曾把一個無罪過的女子離去。他說："有女兒不嫁蕩子，蕩子會把妻兒休去。"

我眞是個貧乏者，一切禮敎之富被我都揮霍去了。

那老人所討求的富有的道德，我不能因爲失却我的愛而重行再挽回來！

呵呵！命運之神，——貧乏之神，何以你倆存在於我的身中，便會溶合而爲一呢？

這個無上帝的世界！

貧乏於禮敎者！

便貧乏於戀愛！

XVI

呵呵！我靜立在這兒愁慘的雲中，竚待天帝的賜予——呵！天帝！我所獲得有較豐於你所賜給我的聖潔的盛淚之盤麼？

'吾愛！'我得如是稱謂你了——這是天帝的厚賜，吾愛你，吾於是擯斥一切詈毀和損失，而高拱着兩隻無力而枯瘦的手，從天帝的座下接你——我以爲我一生之生趣，便在獲得一個潤潔的淚盤。我以爲我得不到淚盤，我的純潔之淚，將永墜於汙穢的世界裏。我以一切爲汙穢之物，值不得我的淚的滴落——於今我有了這個希世之寶了。我的淚不將如雨滾滾其中麼？我不將浴我的生命於吾清純之淚中麼？阿阿！我得到天帝的厚賜！我得到我的淚盤了！

淚盤呵！在我不幸的希望中，我總希望你成爲一個靜美溫柔的我底愛。我得到你；我的淚將驟然增加，而至時常號泣若大江之嗚咽，時常灑落若秋葉之飄零——於是呵，我的淚盤，你和我將成爲悲哀之神！凄楚的歲月，一步一步緊跟我們而來。是呵！緊跟着來！這兒的純潔與偉大，是在無限。我將祝禱如是以終身！

人將以你爲奇玩，致之惡魔之宴前。惡魔之獰笑，我從我的想像裏，知你要爲此而嚇死——忍心莫如野蠻人呵，他們能從慷慨與決絕的古之教訓中，歡喜地睜圓雙眼看你的將死！——於是我的淚盤碎了！我瘋狂了！我至於垂死待斃了。於是他們償我倆以最終的一次殘忍而歡樂的猙獰之狂笑！

夢將爲我所專有；因爲我重新從世界裏——這個無意義的世界裏覺出新奇。

——無力的你，我知你現在在負我。我知道我的夢的幕，墨黑過你的十倍——你眞個是無情無知的女孩子麼？………

你曾哭麼？我愛呵，我愛你的淚勝如春雨。假如你也是個淚泉，我便喚做你的淚盤嗎？

二，二五。

XVII.

吾愛！

您將貽我以赤色的成功之紀念？

您將貽我以灰色的失敗之感傷？

我很料得您將貽我以一件最有意義的贈品，在結褵的一夕。但我不知他是赤的灰的，將引起我在跌蹶，在舞蹈——姑無論吧——人類總是自私的，愛拿他們偉大的成功，換得卑微的快樂。假如我在水樣心冷，吾愛呵：我願你贈我以失敗之灰色的盾。我持盾行于永刼之中，從悲哀裏撲朔，撲朔到夢謎之中。因爲我承認夢謎是無盡藏的——而且破毀夢謎，須待曾置身夢謎中人！

然而我所愛的，我是最自私的一個。固然，我想在一切意義中，找得其最高的，我想流離於夢雲謎霧裏如一個不定蹤的流氓冒着叢森的詆毀，找求他的生存之所！

然而我所愛的，我是最自私的一個。我也想在您的懷抱中，酣睡幾千萬年，夢得天帝之慈顏悅色。

吾愛呵，我不信我所愛的會贈我以惡夢。我自私的心靈，並不想會從你的脅下，有刮起狂飆之日，迷了我的眼睛。因爲我從你允許我結褵之後，我才知我爲誰所有。現在我輕盈盈的，我沒有蔭影；我能從無語的甜蜜裏，飛到您的心中。我酣睡，我生長，我變成的是你的新的生命。

好的迷藏喲！你轉！你再轉！你將微笑着找不着我的去向！——我不信你能迷了我的眼睛！

假如您愛我，我雖憎惡這個名詞，而且不願自認；然而我坦白地留在哲者的眼中，總是個負有强大的債權的人。因爲你還沒有大的勇力，自脫於束縛之中喲！假如你不………那末，我的擲出的金錢，我不敢不認牠不帶有罪過之色！我更將或感到我所具有的愛情，牠是永劫不復生的奸賊！

吾愛呵，你太忍心了！您破壞一切美麗，落花般打攪牠們在流冰裏，假如你眞個如此。

在六三的一夕，您將拿溫柔的手給我。我的眼睛，從我此時悲哀的愛情中，睜開看去，我知我將拿淚來洗禮牠的。

是夢的淚！是謎的淚！是勇力的成功的淚！

我獲得人所不能有的於人所不見之地，我應如何自得！應如何自在喲！然而我不能 —— 我在愛你，也在猜疑你，因爲在這兒你便是我的天帝；我對天帝曾有過怨詞。

天帝呵！

您將貽我以赤色的成功之紀念？

您將貽我以灰色的失敗之感傷？

三，一三。

XVIII.

吾愛：

自然，結婚的一夕，當你跨進我的蓬篳之門時，我總有鬼似的，偷覷你的一瞥，飄在人所不見的空際。自然，我很非重地要行什麼大禮；我慕遮着歡喜，使牠沉到腹底；然而我想我在人所不見的空際，總不能寬你僅此一瞥！但過一刻我須懷疑了：我懷疑我的力量，牠沒有勇氣，敢當他試你，鬥你！………

夜色朦朧着靜寂寂的時節，我須先飽飽地看你一次。我要說不能說的話，然而終竟不能說得出來。我支吾，我趑趄；我最後須先拿一隻手去握上你的手指。你要臉紅了呵！………

你於是開言。在幾句不要緊的話說完了時，我更靠近你，你要臉紅了呵！………

我的雙手，抓住你纖纖十指。你的眼睛圓觲觲地流出愛的神祕。我不敢驟然抱擁你，然而用不着我寫這一句話的工夫，你的含苞未放的櫻釄的雙脣，早已挨上我的脣際。我飽飽地吮吸着使你驚異；我狠命地擁抱着使你發癡。在這幽靜而喧鬧的一室之外，你我都忘了世間別有天地！

三，二六。

XIX.

我蹲踞在上接雲漢的高山之巔，下望青江之畔。兒時玩戲的淸漲的河池，於今變作我的好夢的園地。

這兒殘留着一個春日，喚起我總角時的笑顏。風飄着少年之夢重來，接吻在我二十年辛苦的焦枯的脣邊。

時光於這兒永久在溫柔，在青春，牠不介同我們腐朽衰落-像黃葉飄零於秋天！

我搖擺夢幻之首，咀嚼着青江的眷意：我想見愛神藝術之淚，偏多灑落此地。是他造下這重園地，專待我歸來，專迎我歸去？是他爲了給那個少女增色，才弄巧如斯此？我不見這少女長久了，然而青江之春永遠圍侍着伊。我正如飛墜在天上的王宮，驚異着無盡的奇麗；我想步步進入美妙幽邃的角院，看他的羣鳥狂舞與衆卉的盛開。伊蹣跚地走來青山之畔，我懵懵地睡在高山之巔。

但我的熟睡正是淸睡。青江靜靜地作起細樂，誠懇地爲伊奏着。伊蹣跚的步伐，和着這潺湲的流聲，恰成了一支撫慰夢者的歌曲。高山呵流水，女神呵吾愛！我睡時讓你口唱着歌子來催，我醒時讓你用手牽我起去！

青江高唱着歸來之曲，可愛的少女爲我所有了；青江永久和平的流着，我攜着伊的手永久跟定！伊撫摩我臉上的傷痕，歎息戰爭的惡毒；伊贈我以嘉言，使我安睡着傍定伊的兩膝。伊感傷着歷述青江之故事，有幾個姊妹們曾爲愛而投水自殺；這裏有愛的鬼與愛的夜，不祇伊一個白晝歌春的少女。我默默地悟到春天也不免貯藏着眼淚——好夢的園地裏，眼淚原似春雨。

—— 25 ——

——吾愛呵，我如是幻想你。

四，二八。

XX.

我孤獨地徬徨於迷途，待愛之來援。金錢所豢養的暴殘的野獸，狂撲兇吼在我的身後。天際掛着一顆絢爛明潔的夜光之珠，四射出銀灰似水的淚線；我看到伊的悲哀，如同酒醉；但我十分畏懼身後野獸的圍繞，無暇流覽，我只喘息，奔馳，叫喊。忽地裂帛似的天際的雲彩四散，裸露出清寒的天門一扇，一支長如天柱似的淨白的臂膀，忽自天門下伸。我驚異着如同死去，躍身踴到牠的無邊的掌上。於是天臂徐徐地收向雲中，夜光之珠，於此特放異彩。我似死去了，雖然我僅有麻木與夢幻。我覺得天臂握我如芥，擲之於夜光之畔；夜光好似一隻飛鳥，飛來覆住我的死屍，開展着牠的雙翅，在給我招魂。我於是清醒了，如掠身清猗的光海之中；惺忪的倦眼裏，遠見着天臂千丈，徐徐地收入雲中。

——呵！吾愛！我如是想像你！

五，一一。

XXI.

泛濫罷，洪水，奔馳罷，猛獸！我顛撲在浪底，我掙扎在浪踏之下——我孤伶仃地撑着建築愛的家室之武器。我狂號極吟，求於何知？這般清冷空渺的天地！愛人呵，你曾有知，會聽出這曲悲涼詞意？

愛的家室是被家毀包圍着！愛的破壞是賤値如泥沙！你知道我們的建築，曾被幾多的唾罵？我一斧一鑄，丁丁地建設着，從朝日起直待日沒；汗如秋日的陰雨，連綿不絕；牠流滴在吾心，似甘醴之濯濯！我手胼足胝，撫摩着可贊美的血痕，塗在我們的屋壁之上，作成紀念的碑碣。

叫噪之聲羣起於家室之外。愛人呵，聽着！這是在說"愛是應犧牲的牛羊！是敬鬼的祭品！是應束縛在一切死板的腐敗的練索之下，以貢獻於水怪山神！假如愛呵，牠正被新的勇士解放出威權之外，牠會如處士幼女，離開山林，走出閨閣，變作一個奸徒淫妓的無賴！"羣衆的聖訓嚴慎如此，幾曾見儒女愚夫不被殺死？愛人呵！你會知我爲戰士，我便直到死，也是勝利！我們的家室：正如你我的肉體，牠是被血的泥水，骨的棟梁，肉的牆壁與顏髮的塗飾建設起的！這些呵！你曾覺痛否？我則在越痛越甜呢！

洪水泛濫罷，猛獸奔馳罷！我欲從海浪之底，獸蹄之上，攜着愛人走去，努力建設巍巍無上的家室一座！

五，一九。

XXII.

我欲寫給你一封空白而血紅的信。看阿，吾愛，你的人在騰蒸於愛的痛苦的火焰之上泥。你能助我嗎，吾愛？我不自信我有力會征服你於一切陰霾之中了——然而你的確聖潔而晶瑩地自有別樣天賦的光輝，自然的美麗，我十分信過你是天之愛女，不配分給世人妄看一眼呀！我十分相信這是個不會失敗的預言。我有淚儘管你能容受，你是深洞的溝壑，專以注入眼淚——我的眼淚——爲生命的。你拾得我的一粒一粒的淚雨，你必然如得到珍奇的明珠，償牠以低首的短歎。這樣可使我更得到新的生涯，從你的吹噓之間。卽使我的文字你全不懂，——是呵，我知你不懂；然而你的確能了解我一切生涯上的罪惡與意義。只索你償我以一聲諒解的權能的哽咽，我便會從死中驚起！我對着名花不敢褻玩，我只有訴既往之罪惡，横體於女神之前，呵！我承認已往所有一切，皆似高山與深壑的不平衡的偏激的眞實，並

不是我這溫柔的天草一把！我請在你抱中起個聖號罷，我的愛人呵，我就叫作'天草一把！'

六，二六。

XXIII.

飄漾於靈寂的青空，一把蒙茸的天草。天風茂鬱似深林之顫動，拂過天草頭梢。嬋娟的女使輕移步伐，目瞪瞪地射注青渺。來往於人間的嗷囂，於此都寂寥似宿鴉歸巢；這兒像一場大夢的清宵，只餘光亮的天宇一套！天草伏泣了在天風裏微微飄搖；牠欲遞傳幽怨，聲聲地彈出悲冷苦調！這正似久別的情人，夢裏相邀，低首對泣着，只會把血淚空掉。女使蹣跚着亦似牢騷，微風吹着煩惱，上到伊的眉梢。伊憶起前世的悲哀 舊債未了，伊似見到已死亡的情人之鬼，重來相擾。伊注視着伏泣的天草，寸心怦怦亂跳，於是伊無主地撲到擁抱在天草之腰：擁抱呵，狂吻！淚流似天河溢出的狂濤。天草於是得到一股清雨，重復醒來，牠奄奄的氣息，接連地在伊的懷抱裏繚繞！

六，二七。

— 29 —

XXIV

衆鍛森立着，針刺着，你我將都體無完膚了。可憐你是未出閨閣的女娃，受此重創，呻吟之下，怨我也不？愛呀！世界如果太不仁了：我便撑刀殺去不爲無禮，小醜毛賊，見影便鼠竄，我此際不是弱者了！然而——呵！欺負你我的，不僅這幾張臭嘴喲！吾愛的！天帝也是慣於破壞好事的——我爲此屈伏了罷？屈伏於天行之威壓罷？我爲此捨棄過我所認識了的我的使命，讓人類瘋癲着，我也隨之漂沉於瘋癲之羣嗎？衣食！衣食！致人死命的毒物呀！我爲缺乏這些，我便可以諂笑於有力者之手下麼？——我知我孑然一身，早被羣衆的利口包圍着了！我可以及早悔過，匍匐着要求赦免與憐憫於他們嗎？否！否！我的確知道我不是此生可以有五分鐘相容於羣衆之間的和平者了！我便要求得到赦免，然而我能不使我的心靈，覺到我彼時穿着一套猴衣狐冠嗎？呵呵！吾愛的！在那時你將贈我以恥笑與痛哭了！飽滿如中夜之月你的臉兒呀！吾愛的！幾時之後，你才能策馬追吾於戰場之中呢？

XXV.

愛呵！我鎮定地以戀爲正義了。當我走過街巷時，憎惡與擯棄的羣衆的嗤吁，跟走在我的身後。這些在他人以爲是足以當作我的嚴師與諍友的羣衆的義贈的嗤吁，常帶着這樣口吻警告我："罪犯！你已不赦於上帝了——不赦於法律，道德與公義——你個利己的人喲，苟有一嘴蜂蜜可以加諸他的吐腸，你將能殺妻殺子！罪犯！——不赦的……"我每聽到這些蜜語，我便奮然思戰了！呵呵，殺人刼貨，只得到羣衆的擁護，就不失其眞理之値喲！天帝喲，一人孤行特立，自逃於網羅之外，應得到的是罪科嗎？——不，不——是，是，是漏網羅！是逃犯罪——我是逃犯了！我是逃犯了！我還未刼牢放囚，犯大不韙呢；我只是個單獨的逃犯，而已得着不赦之罪！世人呵！讓你們把我永遠地監禁着罷！你們的聰明的奴性，使我不得不戴罪犯的名冠；而你們是願自囚於無窮之中的眞囚實犯呀！

XXVI.

良辰到了！愛人呵，你的芳心振盪嗎？訕笑的人羣，都在說你膽大呢！但是愛呵，請你更大膽些振盪罷！我實在不再願聽世上的平凡的音樂了。我不知我爲你曾犧牲了什麼，當我平心想見你的愛之光輝，照在我眼簾前時。我不知有什麼可以怨憎你；當你初春的整一的芳潔的精神，由夢想遞入我的心國時。美的神啊！你放心自在地游泳於神宮罷！渺小的你的伏侍者失却權力嚇唬你了！

我在千言萬語中，找不得一句可以讚美你。愛呀！你太玄秘了！我提筆於何時止呢？

我請以不露痕跡的筆墨讚美你罷！

因爲勉强寫下來的，是一塊刻畫不入的；粗糙的劣石。

六，三〇。

蜜　　　月

蜜　　月

I.

蹣跚着我走上芳洲。阿！我何爲對着盛開的花留連呢？蹉跎的年光！流水般幸福！此刹那間一去，追前笑已不得了！我的心對着開的花想到落的花，我須放懷悲歌喲！

我的仇敵在笑我。他們送苦的藥給我，想望我在蜜月中吃這些進去。我不當報之利刃麼？但我沉墮於情愛中了．我的一身僅餘有弱笑。我將死於這個所在，成就愛的偉大與傲岸了！我將取名花爲旛，前導我於神的國裏；使神爲我們太息，駐余與伊不使離去。

死於戀屋下何等名貴呢！在愛的墓中，鬼歌淸妙於宗廟之樂。讓我們盪打喲，那愛的可怕的秋千。………

伊好似一朵未放的名花，却被雨露泥漿沾汚了，我的心情不會滿足，奈何呢，我將願開我的胸給伊換一顆心去了！………

情慾是個無底的洞穴，親愛是個貪婪的莽夫。那天雨淫溢的快自己厭惱自己了，奈何我永苦焦渴憔悴呢？

………

愛的海是長久涸竭的，情的波也不會長久漂鍚。那天雨淋漓地自在泅游，奈何我却站在岸傍呢？………

我有淚可以長久傾瀉，但我的心好像結成冰了。牠不可轉動地沉重地壓着我。幽怨與哀愁唱歌在牠的背上。

愛人喲！你睜眼看些甚麼呢？你見我漂浮在愛的溢流中麼………

七，二〇。

II.

伊的火熱的淚，流落在我的身上。我的情濤，似海濤般奔騰。我的瘦損的骨肉，將被淚的火燃燒着了。

淚漂沒了枕席，同情的歎息低吟着。誰執着我們命運的旂；指使我們如螻蟻呢？失敗的果實，纍纍於口邊，才讓你嘗到愛的眞味。

愛人呀！莫哽咽了。我的身上，已被你的淚打的斑斑如雨了。

七，二二。

III.

這塊芳洲，被草痕蒙茸着，我散步在內。

愛人呵，你怎麽不解一切紛解呢！你的笑謔，惹得我們的新屋，都奏起音樂。在你懶懶地一笑中，世上的一切名貴失其驕傲了。深淵閃閃的幽光，大風嘯嘯的偉靈，在我心上隱現。

鶯歌燕呢，啾啾的夜語呀！我頹廢下去！………

七，二七。

IV.

春做賊似的，如今偷悄悄地踱來了。絲絲的雨和微波的風，着意地在織成春的多色的繡圖。吾愛呵，我想定那幽山的古寺！或則寂寞的荒野之中，必有杏花在亂放。那片片的粉白的花冠，綴繹着朵朵的唇紅的蓓蕾，使我幻想到冬的皚雪，夏的白蝶的亂飛，又如看見羣羣少女的頭上的珠玉，與她們臉上的胭脂。

春眞降臨世上了。愛人！我們乘此時光，好尋春去！假使那杏林底下，再坐上我們這一雙美滿的春的歌舞者，那春的價値，也許要增至不可思議。愛人，我們尋春去喲！………

—— 35 ——

V.

白雲瀰漫着天空。阿阿！清貞的女神呵！你微笑着是懷慕我的詩歌麽？我的心跳躍着沒有韁繩，把你手來捉住牠些吧！不然讓白雲來籠罩了牠。

VI.

冰潔的同情，落葉似的逗戀………

VII.

伊婷婷着，玉立於縹渺之空；浩蕩的大氣之流，爲了伊在清和穆貞地飄蕩着。伊無語却似微吟；萬有都低徊着承受伊的愛寵。阿阿！虛無幻美的女神的側目喲，我失却我手中所捧有的一切了。

伊是個精靈！是個翻滾的海洋的精靈！有誰個骯髒之物，不墜流而滌蕩於清淨呢？我忽地似脫却獸膚禽心，只留得一把乾淨的骨骼，貢獻在愛神的座前了。

我願致身於伊的脚下，默聞伊的詠吟。我想我久被茅塞的耳朵，牠會朗然開明了。伊的愛洋溢於虛空，輕吻微笑重給我以生命。我的生命蠕蠕地復活着，哀泣起在心頭；伊噢噢喔喔，輕彈著我的頰鼓，唱出永恆安靜。

伊唱的起勁；狂顛的烈火燒起歌中。汹湧！汹湧！如海洋的激鳴！

阿阿！清貞的女神呵！這音響在我的心中永遠流動！

七，三〇。

VIII.

我歌起清歌妙樂，
愛人呀，你爲我像鴻鵠那般高飛遠杖！
我的歌繚繞着你的心而詠吟，
愛人呀，你爲我按節奏而打拍！

我歌起清歌妙樂，
愛人呀，你爲我像海洋那般汹湧怒潮！
我的歌頻頻低首而往就着你的櫻脣，
愛人呀，你爲我而開笑！

我歌起清歌妙樂，
愛人呀，你爲我像森林那般沉默靜聽！
我的歌臥倒於你的抱中，
愛人呀，你爲我把牠悄聲喚醒。

我歌起淸歌妙樂，
愛人呀，你爲我像白雲那般徘徊勿去！
我的歌將與你把酒對酌，
愛人呀，你爲我莫灌醉了牠！

二四，八，五。

IX.

我溶化於愛的流中；愛人呀幫我一，
幫我歡跳而低吟。
我已脫却那累贅樣杈的形體，
我已捐捨了沉重壓迫的喘聲。

春天的蟲豸蠕蠕而生動，
惠和的萬有，都爲着你我而鼓勇。
我將撲倒美愛與無限的大自然中，
長吮吸着生之甘露於不盡。

我的心中已消失了可怕的逼臨，
海洋的波濤在向我而洶湧。
自由的泅泳呀！生命的偉宏呀！
我不忘此地的光明之春，

—— 38 ——

來！愛人！取你的兩手緊擁着我，
把你的櫻唇，貼着我的兩鬢。
在此大無垠的光和大自然之中，
我與子悠悠長往任其生存！

八，一〇。

X.

吹起我們生命的洞簫，
我將應節而蹈舞！
打起我們創化的銅鼓，
我將前進入於虛無！

緊牽着我的兩手，愛人呀！
那前邊縹渺的樂國，
將出自你我愛侶熱求的眼中，
如航行者之發見新土。

八，一二。

XI.

我愛你！拚命地灌我以酒吧！我愛你！

請自你的好像個血的杯的櫻唇之下，
愛人，拿酒來迷醉了我的魂！
歌在我的心旁游散着。那嚶嚶的清音！
牠是充滿着生之甘蜜的詩歌呀！愛人！
請抱着你的全體完全跳進來，和牠跳舞去！

我的魂飄飄地窺伺在心門之下，
牠用惺忪的眼光盯覷着你。
牠忘却甚麼叫羞怯了，
我遺棄了我卑汚的軀體。

你一次抱上我的魂，
牠把盈盈的笑獻給你。
等到你再一次來時，
牠討求牠想望的回禮。

請你緊緊地抱着牠，放浪地吻牠罷！

八，一八。

XII.

畫片上的愛戀者雙雙依偎。

熱情的佳品呀！作者為誰？
我願傾倒我焦灼的靈魂，
匍匐着向愛神把酒求獻！

XIII.

我的心長久地拖着一條直線，
繫着一顆軟玉似的別的心。
我知道牠和牠的確能消失了軀殼的隔閡，
自相愛的擁抱中溶化而成一個。

嬌美的癡懸的風光如畫，
源泉似的情流，流上伊的紅吻邊去。
那緋紅的驕陽對我生欣了，
他說我漂泊到一個歸穴中去。

XIV.

我的心永恆地拖着一條直線，
繫着我愛的忠實的情意。
我知道她和你確能消失了軀殼的隔閡，
自相愛的擁抱中溶化而成一。

嬌美與癡懸的風光如畫，
原始的情流抱着伊而吻頰。
那緋紅的驕陽對我生羡，
他羡我飄泊而終得歸穴。

使我怎樣兒傾倒於伊的抱中，
才可以盡量洩露了我生存的秘密？
使我怎樣兒流淚在伊的頰前，
才可以盡量吐出了我胸中的充塞？

這秘密我終守不住了，
這情流終充滿我的胸臆。
我的心，你顛倒於她的醉人的酒了，
正好像一個吮吸過花香的蝴蝶的亂飛。

XV.

我愛，你拚命地灌我以酒吧！我愛你，請自你的玉潤蘭馨的櫻唇之下，

愛人，拿酒香迷醉了我的離魂！

歌在我的心旁游散着。那嚶嚶的清音，充滿了生之甘蜜。愛人呀，請抱着你的全體完全跳進來，和伊舞蹈

啊。

我的魂飄飄的窺伺在心門之上，牠惺忪的眼光，一直地盯覷着你而忘却羞怯了。我此時眞不知拋棄那卑鄙的軀體於何處了。

你一度抱擁上我的靈魂，牠要吱吱的叫，與你作玩，請你緊緊的抱着牠，放浪地接吻牠吧。

我可以盡量洩露了我的心中的祕密了；

當我流淚在伊頰前的時候，

我可以盡量吐出了我胸中的悶塞了。

八，一九。

XVI.

當你我在靜默的深夜裏，擁抱着閉上眼簾時，你和我的兩顆心，也都安然就臥了。甜蜜的時光暗暗地推行着，牠倆沉湎於睡眠之中。

精微的靈異的密談，透出牠們的好夢的空隙。阿阿！迷戀的相愛的心呀，你們是不是還爲我們所有的？………

我的愛！蘇醒來吧！這兩顆心兒玩耍着，躲避了你和我。請你緊緊地拿着你的肉貼上我的肉吧！我將拿美好的詩歌的光線，貫串了牠們，作我們終身最高的俘獲。

XVII.

採一朶紅花插上你的鬢間；驕傲的仙子呀！亭亭地站立在我的前面吧！請你飽瞪着你那一雙晶明的眼睛，我將變成個罪犯，長跪在你的足前！

請追赦我荒唐的頹廢的旣往，我已將過去的遺殼擲之塵埃；祇求你再閉上眼睛，用你的手牽我起去，我便誓作一個復活的忠貞的戰士去了！

八，二〇。

XVIII.

吾愛呵：

吾不願吾們看那驕天的火熱的雲，

吾不願吾們聽那夜神的悲歌。

吾只願吾們優游於這樣澹泊和平的永久之清晨，奏着細樂，

隨造化以前進！

吾不願去征伏一切——征伏我們的朋友；

寧使你我共奏迎神之曲，不擊戰勝之鼓。

美麗與和平密織了這條長漫的天路，

攜手呵，我的至愛者，爾我共羽化了，且去優游！

青春的夢是這麽樣易於凋殘!

粉白鮮豔的杏花是這麽樣頻開!

青春!我的朋友喲!我離你去了,今幾何時?我活潑地記着我睡在你胸懷中的夢謎!使我這麽樣的悵惘,可是爲了你的無情?使我這麽樣的衰老,可是爲了你的不睬?我曾怕進入盛牢式的學校,而至於煩悶無已,我曾將所有的時光,贈送於杏花方開之林裏;然而過去了,我的朋友,我想熱愛你,然而我沒有從前那般勇氣了——青春的勇氣。我倒退二十年光,我倒退幾千萬里,你呵,青春!仍常在嗎?我已是死去喚不醒來了!

吾愛呵,假如你能喚醒我得青春,使我對一朵杏花快愉開眉,我有什麼不可以贈給你的呢?!

八,二一。

XIX.

我愛喲!假使你想愛我,在無倦的永久裏,那末,請你將每日給我酣醉的醲酒,一杯換一副顏色!

我的無常的性格,與不道德的心腸,牠們所喜歡的,並不是權威的我,也不是衰老的你!一線春生的彩雲，映着貪婪的希冀；偉大喲，我愛！他們的希冀，不僅想把你我的容顏日洗一次，而且想把春水灌在你我心頭，浴着牠(心)生命不替！

請你順從我這個希望，小的希望，我便可常住青春之宮，飽覽着你心不老的美麗！

XX.

吾愛：這般飄渺的無際，我想捉住你，那裏能夠？

這般飄渺的無際，我想不捉你，我身放在何處？總有這般美麗的森蔭的醞釀，作了你我的園地。總有這般擾亂的駁雜的線索，牽着你我不去！假使這是幅永久之畫，那我自然可流連不已；但便是一場好夢，還有醒時，我也願不出桃園，從此醉死！

我想捉住你，你不要蝴蝶似的閃避；

我想捉住你，你不要飛去，驚醒我的夢迷！

XXI.

吾愛：他們說是：“睡在情人的膝頭，勝得驕天的王子！”我祇有夢裏承認這句詩，因為你還是我的妻兒！聰明人娶個情人當作妻子，愚蕩人娶着妻子，想望她變作情人！——不幸我一身懦骨，撐不起情人的誘迷；而你又滿身枷鐐，跳不出你的門去！——我情願担個罪名兒，冒險去試你；我想你要由溫順的良妻，變作多情的俠女！待我睡在你的膝頭時，你能自然的喚一聲"我愛你"，我便呼呼睡去；你若喚一聲"我的丈夫！"，那我便醒來了——我將不死在夢中，而死在醒時。天呵！這是何等不幸呢！………

八，二八。

XXII

翻來了，褐色的雲！看阿，是一隻憂愁的鳥！
吾愛阿，恕我！我又醉了，爲了這一隻迷途的鳥！
鬆手吧，吾愛！莫牽着！我去了，跟定這一隻被傷的

鳥！被傷的鳥，牠要飛向無門的幻滅裏去！

八，二六。

XXIII.

你了解我們的話，的確。我的全部詩句，你完全了解的。吾愛，你憑愛去認識一切吧。明智的愛之眼喲！

八，二八。

XXIV

吾愛：

我想得到幾件珍品，從你的手裏，拿去送給我的朋友。但是貧乏是我終身不二的主人，我想要贈遺朋友的一念，都被牠鎖起在一樑牆裏。

八，二八。

秋　　雨

秋　　雨

I.

落葉蕭蕭地暗怨著秋。怯弱的，寂寥的憂傷喲，你將從何處幽秘地遞傳給伊呢？

我的身，拘禁得好像隻被俘的鹿。蹙視著監牢，陷阱，不敢舉步了。"讓愛情長臥在哀傷的心和煩擾的夢中吧！"我的人，我如是祈禱。

風也颯颯地催人流淚。我迎定飄風，瞻望著別離的故土。噢！我的人，我怯弱地無力斷守你了，賺得這個兩地一色的涼秋。

你取去我的心，安放在你的胸間了。但你的身影，仍然伶仃地飄搖在空地裏。我的人，我戀你！我的心好像一條緊張的危絃，爲了你錚錚地發出將斷的哀響。

我想寫封情書給你，把筆却被黑的影子迷了眼睛。我想對一個朋友訴出我的憂懷，但我怎當得他那副冰冷的面孔？我的人！你不會飛來，便讓憂傷永久沉沒於孤寂的心坎中吧！

我將爲了愛作一首長歌，牠的音調，像秋風那般悲

—— 49 ——

戀悠長。牠是一隻玲瓏的話匣，從我的反覆的低誦裏迅速地打到你的耳旁。於是你便散步在青江之畔啜泣了。我的憂傷，將應著你啜泣的哀求，對我悵惘地告別：牠要歸去，跳入你的胸間呵！但是，我的人，你也將不能安睡了；牠遇到你那顆久別的心，將拿紛擾的，吃緊的抱擁，驚動了你。

同居的緋麗的夢影破了！愛人呵！我們好像兩隻愚呆的小鳥；當獵人已經埋伏在樹下時，我們仍依戀地甜睡在樹頭。呢喃地不絕地我們讀著情詩，那知道緊勒在弓弦上的彈石，將破壞了我們的安巢呢？…………

小雨珠珠地打敲著涼風。相思的秋呵！你如不憶及春，請停歇了這雨的清淚，風的悄吟吧！…………

II.

我的愛人，又像有一幕霞光，拂翳著我的靈魂了。紅的雲糾纏地開展捲縮；這自然的華美的戲舞，曾經過很久的時光，幽閉在我的心靈裏。今朝呵！她好像要開始出遊了。

我的心門張著，慇懃地在等候著她。她眞像個初嫁的女郎，就如我第一次抱擁著你的時節，綺麗的羞澀，掛在面龐上邊。我醉了啊！愛人！於是我忘却你了！

但是，我愛的，你不仍在孤單麼？我能從幻想的國裏，找到蜜月的生活；但在你的充實的，柔潤的心靈裏，是沒有夢幻的魔呵！你伶仃地可憐的苦相思著………

III.

天際簇來些淡灰的嫩雲，小雨絲絲地下落。我正在一個沉寂的田野裏，寬亮地望著天宇。

那雲，擁合來，又擁開去。愛人呵！這愛的戲舞，爲甚麼我不能攜定你同來贊賞呢？…………

那昨宵的清亮的月，你可曾看到她麼？她爲了帶去我的情書給你，徘徊地長久地掛在天角。

IV.

歸去不得呵！愛人！我的心淒哀如一塊慘白的石。我呼喚你，得不到應答。…………

何物怪魅，囚我於奴隸的樊籠中呢？我降虜的軟漢喲！我愧對你，我愛。但是——阿阿！我可以死了！爲甚麼你要牽着我的衣不放手呢？…………

我雖憎惡一切，但假使智巧者以最珍貴的賄賂，捧獻給我，我不羨慕，我不肯易之以披散在你頭上的一條青髮。在我所憎惡的一切合抱中,巍然屹立你精靈的像。我死去時,一個猛獸似的靈魂,將伏在你的像下,優逸地安睡着,忘了我生前的一切。我祇有不憎惡這個愛的像:牠奇偉的不可思議;我找不到任何的損傷,附在牠的軀殼間。我崇拜牠,無間生死!

愛人呵!你吮吸去我生命的流液,增益着你的美麗吧!我不吝惜牠,我眞誠地崇拜着你!

V.

當夜風吟咏於你的窗畔時,蟲兒們叫噪着——你曾憶起你的行人,在一個遙遠的距離裏,對月幽思麼?

當你刺繡停針,撲蝶走過園門時——你曾乍覩滿地飄零的秋葉,想到你的行人在啜泣麼?

哎,愛人,孤獨與別離刺傷我的心了!我念着你像念着那最高的神!

VI.

我的眼前,時常竚立着你的影像。但是奇怪啊:我想捉住你,你為甚麼終搖搖地躲閃呢?…………

VII.

我夢着你溫存的躺在我的身旁。你的小語嚶嚶着，幽若夏秋之交的晚風。我的手安放在你的膝上，你嗾使着你的手指，帶着一種秘密的詠歎，推移着在我的手中，沉默地細緻地劃。我於是立地覺着那流動的字跡，是一直刻劃在我的心上。我的心震動着，感到一種愛的無際的光與快樂；並且有如小雨似的，我聽到那字跡的吟詠。

我很忠貞地爲着你日在懷慕。當晨光滿滿地充溢到了窗前時，我眞像個天眞的孩子呀。我想到豔麗的春陽，我想到蒙茸的綠草。我似乎擁有與你等一的青春，攜着你放浪在一個廣漠的郊外，不可思議的，不可思議的，渡過迅速的年華，

假使我不幸的死了，當人間失却一個春的贊美者時，你也許感到寂寞吧。假使我的坟墓，距離你不在遙遠，你不會走去哭倒在光天之下麼？…………

你是個幼小的女神，純潔的，平靜無波的情的天際，只閃爍着笑迷迷的一羣小星，當我的疲乏與哀傷，要

—— 53 ——

求着你的軟語的慰藉時，你那未被創傷的心靈，無以答應。這是不可摧殘的光與愛的幼嫩的萌芽呵！我要求你統轄了一切吧！

愛人呵！你雖沒有信來，但我不再怨你了！

VIII.

我雄美的軀體，消磨於別離，吞蝕於懷思了。好像一朵鮮花，漸褪出憔悴的顏色。愛人呵！知牠將凋謝於何時呢？…………

那秋風，請飄去吧！莫再躑躅在我的門上，報告那不幸的荒秋的消息。

滿地從夏天送來的深紅淺綠，已經被秋收拾去了。我思念你，愛人！

IX

相思的顏色雖然豔麗，但是太嬌脆了呵！哎！我的人！你如愛我，請你不要知道我在怎樣懷念你吧。當你知道了時，你的淚，將多過霪霪的秋雨去。

我不能把你放在忘却的境地，正如那花間的蝴蝶，戀着那甘甜的花香，去了又來，來了又去。你有甚麼重味的酒灌醉了我，使我沉在夢的大海裏呢？…………

我的頭震震地在痛，我的神經綿綿地如病。健全的事業和責任的道路，催促着我的脚步，但我不能自由行走了。我是你的奴隸——自荐的奴隸，不待着你的命令。

哎！我徘徊在相思的路上，憶起蜜月中的一夜。那夜呵，你給我甘美的糖餅，帶着你含苞似的愛。

但是我不能在愁苦的相思的今日，再嘗到你的糖餅了。我告訴你，愛人——我病了呢！…………

X

吾愛！我在念你！念的要死！這可有什麽醫藥能療治呢？……我不能撫慰我那顆不平衡的心，使牠安甯一時。牠，可恨的，不知爲了甚麽要苦我至死！愛人呵！我沒有可以表示我的悲哀了！除了"死"的一字。

"死"，牠對不起你。這是我所更悲哀的。然而我找不到一件武器，足以怯退了這綿綿的相思。我的人！你爲了愛，可有甚麽法子給我呢？…………

XI.

愛人呀，你知道我在如何念你哩？所有的一切的無名的隱痛，都可以搜尋出來，從我的呻吟的心間。我一直跟定綿延的時光，半步不落後地在密密地念着你。但是啊，愛的時光，在一切時光裏，却爲何獨自異常的緊張呢！?…………

假如讓我把一支箭，放在"無的"之鄉，那我所有的時光，便將由緊張而舒鬆了。但我是個懷疑的弓手，謹愼地把箭置在弦上了，却牢牢地把定牠不肯再放。阿阿！這緊張的想念呀！不幸時你會把弦張斷了！

我的心的緊張，不會以文字和語言解去。藝術的威力啊！莫再向我求媚了！我不再信服一切假的幻的偶像之誘力！

現在，我想怎麼呢？我再不能强顏爲歡於羣衆之間了。你如何能脫却你身上的束縛，於此時獨身走進我的門來呢？我將抱你在懷中，熱吻而密語；吁嘻，歎息、流涕、熱吻而密語！…………

我沉睡了，在一個長的黑夜中，再不醒來。

XII.

愛人：雖然悲哀仍爲我所有，但牠却失掉了幻想的翅膀了。我被包圍於醜惡，我攻擊着我的周圍。矮小的鬥爭，握上我的手了。我失掉了詩。這不是鉅大損失麼？你如不能喚醒我的靈魂，飲以狂放的，勇猛的，詩的酒時，那我眞將哀哭我的損失了！…………

我愛的！我在念你…………

XIII.

沒有一個清靜的淋漓的夜，似彼昨宵：在我躺上床時，心上清輕地幕着一種愛影。我熟睡了。

夜雨何時滴醒我的幽夢呢？當我半醒的心靈，在微微地推開牠的暗室的門時，便接着聽到雨聲之淙淙了。好清閒的良夜呵！好貞靜的夜雨呵！

我的臥室後的小樹，迎受着秋夜的雨，好像你在早晨裏沐浴。愛人呵！我暗地裏這樣幽默地芬香地打算着。好藝術的良夜呵！好愛戀的雨聲呵！

路旁停蓄着一池一池的雨水。我走在池水的旁邊，池水鑑出我清癯的面貌。愛人呵！我何以寄給你這番雨後的清光呢？昨宵，夜雨的昨宵，我開始在戀念裏，感到純美的快樂，高潔的情味。悲哀的神，陡然跌落在我的脚下了；我披着愛神的輕盈的長衣，挾着她的柔軟的長翅，飛起了。如使你在我的身邊，愛人呵，我不將背負了你，一起飛去了麼？…………

光潔的愛戀呵，良媒的夜雨呵，可愛而不可及的愛人呵！這一宵的高價，勝過百世！——百世何足慕呢，敝屣千載，我只愛短促的春日。我不憂來日，我不怕老年，我要長生於少年的時光裏。愛的人，你是何等耐戀呵！我的心突突地在吻着你的嘴唇，我的手又要抱擁你去；雖然是幻，我如是已自慰了！

今晨！今晨！你在做些甚麼呢？我好像看見你了：在你的清煙淡雨的面龐上，現出一線的離思。夠了！夠了！我已承受了你的愛！——不再寫了，愛人！讓我去咀嚼昨夜的雨的甜味吧！…………

XIV.

愛我的：我又被包圍於憂傷了。我如是歌唱："褐色的酒，愛戀的憂傷的象徵呵！你貯存着些甚麼，除了陰鬱的，昏沉的醉意？

"我欲飛入雲端，飄飄地前進而下墜於吾愛的身前。愛人呵！你將否攜着我的雙手，嚶嚶而啜泣？我吟詠着'虛無的贊美'之歌，大地寂寥的微吁着，助我以響亮的音節。

"我求你裸着雪樣的嬌體，半夢地睡在我的懷中。我撫摩着你，夢想了到荒古與未來的一切的淼茫。於是我將又飛向天空…　…..."

褐色的酒，永遠的愛的苦悶呵！我恭謹地獻出我的生命，在她的威權之下了！愛人！

XV.

"天色何淨素"	止如一泊水。
萬籟何寂寂，	獨使我心悲？
"我心空若谷，	微聞泣幽咽：
如彼行吟者，	歌盡而隕淚。
"愛人何所棲？	別離猶棄之！
孰謂再會日，	不遠如隔世？
"少年短似矢，	脫絃則杳然。
快樂一浮漚，	忽現則歸滅。
"老骨枯可掬，	將就火自焚。
云何張其燄，	促折彼殘齡？
"自不見愛人，	骨燼而心灰。
死灰可復燃，	我心不可爲！

“點首問秋風：	豈子亦戀春？
哀我傷心客，	獨共子呻吟！

愛我的！我如是念你。

XVI.

寄去給你的多少信件，都仍然潛藏在我的心中。你在整理牠們的數目麼，智慧的愛人？妹妹們向你說些甚麼呢？她們不會笑迷迷地問你道：“哥哥在想嫂嫂麼？………………”

我的精力，不會爲無聊的事業乔去。每當天清氣朗的時節，我的精神醒了，像一個醉飽後的野獸；牠需要一場生的武劇來表現自己。又似掠在緊張的弦上的矢，我的鵠的，唯一無二的便是你。我不能自己挽回我自己的手腕，射向他方，因爲這枝强有力的矢的路線，已經被牠熟識了。我不能指調牠！我任牠飛去。…………

我的“力”念着你；我的“力”爲念你而耗費盡淨了，沒有剩餘可以讓我再來描寫我心的怨慕。我祇覺着蒸發於我心上的，有海上的薄霧，多情而哀怨。我祇有這點想像了。舍此，我更有甚麼眞實的東西，貢獻於吾愛人之前呢?…………

時光悠悠地過去了，我却時時在你的夢幻的身影下捕捉着，不知捕捉些甚麼。別離已久了，吾愛，但我們不會生疏。因爲我眞實地時時在你的夢影下捕捉着，不知捕捉着甚麼。

爲了甚麼我終於捕捉不着你呢?時光悠悠地過去了，我捕捉着空虛。空虛呵，我知道你是我的痛苦的名字了!…………

XVII.

呵!高潔的戀情呵!
我的愛人，請你呼我爲情哥吧!
我的心，綿軟而玉潤；
我的歌，悠揚而中聽。
我將命令着她們歸去，
一個跳進你的胸窩，
一個飄過你的耳旁呵!

但是我的心將要碎了，
有如戰士們被了炸毀；
我的歌也將如末路的英雄，

唱出顫顫的悲音。
愛人呵！我將以我的幽魂，
寄給你從夢昧之中。
你有否苦酒百樽，
醉倒了你我二人？

剎那的快樂告終：
水流去了，花凋謝了，月也沉淪。
異土的寂寥呵，愛人！
黃沙漫天，
我何自望那故鄉的形影？
——祇有這一曲哀吟呵，
可歌之於無窮！

XVIII.

來！愛人！跳上我的心頭來吧，
壓住牠不已的慴慴的跳動！
這顆心，——格外不安分的，
離開你便要軟跳低吟。

那春光洗淨了玉宇，

我獨自寂寥着竚立其中。
徧攬了明山媚水的情懷，
塡不住我這顆仍然空虛的心。

流水飄蕩着草卉靑靑，萬籟悄歌着春之妙詠。

冷散呀愛人，我的心靈，我好似一個飄泊的春的遊蝶，終捉不住那貼近我的春之形影。

來，愛人，莫沉沒於渺茫的幽思之海！

XIX.

我無力描寫這破碎的雪景，
牠是斷續的殘喘的苟延着飄沉。
愛我者！這的確是我今日生命的象徵，
我已微笑着跟定了將歸去的春！

朦昧的天色是我心的冠裳，
那是一隻失意的彷徨的小鴿子飛翔。
但是我的希望好像不會再但跳動了。
愛我的！牠已在足折而翅傷！

— 63 —

永沈！永沈！沈向那空天闊海中吧！
我的愛人！——但是可恥的退怯喲！
我不能諂笑地拱手把生存讓給惡神，
帶着滿身羞辱的枷鎖而沉淪！

請你了解最後的我的需求罷！愛人！
你須滿斟愛與勇敢的烈酒百觥！
我將要跳起自你的烘熱的懷抱之中，
飲醉了你的愛酒，直奔前程！

春雪讓牠奄奄地就亡，
我尚有不甘死的半顆强心。
待着我把這半顆心送給了仇敵，愛人，
我將取你的愛填塞了胸膛內的空虛，永沉永沉！

那兇險的浪濤，要吞噬你的紅顏。且從那別離時飲餘的强酒中求醉去罷，愛人！有我的未冷的吻與未斷的歌在酒中再現。

短促的春日不得再來，
你我會隨牠立化骨骸。

—— 61 ——

悠長地恆久地我們擁抱着吧，
愛人，自生存以至於投海。

悲壯與憤怒的泡影，漸消去於我的心海。
春的死神牽着我的衣襟——甘蜜地制裁！
但是，愛人，春日讓他沉沒去吧，
你我的擁抱永不解開。

XX.

我的心長臥着，待着死之臨。牠病懨懨地呻吟着無志於再起了。阿！愛呵！牠飲了多少痛苦的毒酒，而昏沉至此呢？…………

描寫不出的隱藏著的痛苦呵，你引導着我的心迅速地去安眠於坟墓中吧——牠是再不能忍受了呵……

XXI.

歌起在我的心旁。愛我的，請聽呵：

"渺小的我的一身呵，羈留於嚴冬的山北：捨棄愛的煖抱呵，飲冷風而茹寒雪。

"任是朝暾的清暖呵，牠不會像愛般燃燒 。我望見愛的火焰呵，衝出在山南的周遭。

—— 65 ——

"我的破屋的居者呵，親愛的，親愛的，愛我的人！贖身之費還未足呵，你且爲我解開'望歸之心。'

"我宜逃而避罪於此呵，淹留著已經過七載。更須困守三年呵，我受着奴隸的制裁。

"朝日抒嚴冬之寒呵，朔風泣貧人之淚。瞻望山南的家屋呵，我驟然冷縮如出水之鷄。

"愛人呵何居？你的淚沒有凍結成冰吧？！但是不幸你的胸中已落霜了，將誰爲你嘘暖而融解之？

"早淸陽呵夜冷月，你的單寒的隻身相伴。奴隸的桎梏拘禁我呵，我不得與你共此辛酸！

"遣寒鴉呵南歸，繞屋樹而亂飛。哀呀呀以終暮呵，帶去我問愛的信。

"請朔風爲我長嗥呵，迤邐至山南之鄉；吹破屋而震震呵，令愛人爲之愴爽！

"此山北之寒冬呵，將何時其告盡？我奴屬之賤身呵，亦有歸家之日？

"心震震而痛裂呵，忽聞鈴聲之亂鳴。我將隨彼主人呵，牧羣羊於山陰。

"草至此而停筆呵，時迫我而情無盡。望愛人勿爲我悲呵，我今尚餘有冰冷的哽咽之聲………"

XXII.

我將繼續地唱着。愛我的，請爲我聽：

“啊啊！華，我的愛人！別離已將秋日吞盡。怔忡在空虛中的你的身影，我望之而心痛。

“在歸去之朝，你將撲進我的懷中。我擁抱哀哭的你，如聞到冰下的河流，哽咽而不成聲。

“任嚴寒之肆虐，冷颼颼以侵爾身。我有最精煉的‘心底暖石’，待着你吃緊的抱擁。

“我又有愛的熱吻，俟歸去而贈君。那吻呵，牠是燃燒的神：燃紅你的臉呵，燒熱你的心。

“鄉村的歌曲，繚繞在我的幼稚的夢中；有如你我的愛人，便是那好聽的歌中的靈魂。

“我擬弄我所具有的美才與妙音，描寫你歌誦你，我的愛人！你能否聽着我的歌曲起舞，飄飄地，飛向天空？

“當朝陽初上到窗頭，我與子清睡將醒。慕暖日之光輝呵，讚愛寵的大神。

“當晚霞之未落，暮色沉沉而默靜。我與子遊神於漫歌之中呵，喚回那已去的春之生命。

“我擁着你，愛人，你勿再涕泣！我知道你心中的哀怨——那一顆冰凍着的心臟，不要求着熱情之手的撫摩?”

XXIII

罷了，愛人．我的所有已經都贈予你了。我念你，想你也在暗泣吧。——我將連‘死’都贈給你麽?…………

………你的臉黃瘦的不像樣了。我的心從夢裏聽到這個消息，牠哭了。牠要求你的抱擁。愛的人，想吧，想那愛的道路上，有幾個不逞的匪徒，像你我猖狂呢………

惟有‘愛’，我的人，她還我以諒解的淚。我能取她以洗淨我所受到一切的恥辱。惟有你的心，貼着我的心，我才可以知道我半生荒唐，爲着的，得着的是甚麽。

我受到的屈辱與詆毁，多過你頭上的黑髮。然而我不曾一次想到，這些不幸是爲你而來的………

把我這顆心完全貢獻給你，我只有憂患底，剩餘在自己了。當我彈絃而不成聲時，我的淚滾滾而落下。…………

XXIV.

吾愛：抛開愛的回憶的咀嚼，我沒有生活，可以告訴你。明知我們背後跟着有兇狠的吃人的獸，但我不自已地竟能躲開懼怯的追臨而徘徊於愛。有時，我想到春雨的淋漓了，於是我思念我們的過往，悠然輕忽地墮下幾點淸淚。蜜月中的生涯，何其短促呢？……

'愛' 是生存的意義呵！我思念及我親愛的人，我是何等榮幸？自愛的美麗的靈魂之中，我醉倒了！ 我拜服了。天使！愛人呵！我的天使！假使我沒有你， 我將是一個如何的放佚淫蕩， 逞心於一切不可思議的罪惡的狂徒呢？……然而現在的我，又是何等的純潔忠貞， 精誠不貳？你青春之女神！我的心靈，完全貢獻給你了！牠沒有第二個安眠的處所！你的雙目，眞個不是明珠可以媲美的，我只有呼之爲'星'罷了。當我看見天上的星時，我思到你的眼底光明了。

我得到愛。再有寶貴於愛的東西麼？我担負的是些甚麼呢？！糟粕！糟粕！我能爲糟粕而損害了我靈魂上的光麼？………爲甚麼我不捨棄一切，祈禱愛的永存呢！這是淸醒的話，愛人，雖然人們以爲我在昏迷。我是'究竟'的淸醒者，我是沉淪裏的向外追求者。我求生存！我求快樂！ 人間有我這樣驕傲的明白的人麼？ 我發見了'愛'，我把握着'愛'。

當我的靈魂深處動盪着愛的流液時，愉快沸騰在我的生命的全部。這便是最上的生存的價值了！——我需要誰的諒解呢?………

愛人，只有你了解這些，了解我的生命。

中晚的衰陽，疏疏地洒落在我的書案旁。這里只有我是孤獨者。我的心輕輕地發出悲哀了，別離到底苦着我。但是我要贈給你以永久的愛的禮物，那是一顆忠貞的心。牠好像一顆常綠的樹，不會凋謝。你得到這個贈禮，會卽時還我以欵息與啜泣的讚美麼?………

我的人！我念你。…………

XXV.

愛人：讓我給你敍述我們初一次見面時的光景吧。讓你我再生疏些，也更甜蜜些。那是如何的香甜的一幕劇呢！………

是一個十二月的天氣，我却完全認成一個春天了。當我走進你家的大門時，我如將有個大的奇異的發見。我的心熱沸沸地在忐忑着。你的院落，並沒有攝影在我的心上。我模糊地跟着二個引導者，邁步跨進你的室中驀地我懼怯了，不知爲了甚麼。我是怎樣虛僞的規矩。

着，斯文地安坐在你家的一條破凳上。一個跟我來的人，不知說了些甚麼話。你們床上共坐着三位女子。我雖未曾見過你，但自我把眼睛斜睨在你們的床上時，我能於三個女子之中，特異的驀然認識出你。當你回答我們同來的一個人的話時，我竟未曾聽見說些甚麼。這因我的心正在你的美麗的青春的容顏上飛翔着，躑躅着，徘徊的不忍離去呢！然而現在我後悔了，不該貪看了你，把你的喉音的清妙沒有聽到。我的人，你以為我是個甚麼誠實的人麼？但我當時，果曾如是以償你麼？………

你能動我的心，在我跨出你的室門時那一次長而有力的一瞥。智慧的明目呵！我何能不拜倒呢。

我決定對你的戀，一路默默地歸去了。不知命運讓我們結婚不？我憂慮著。…………

但是現在我們已拿我們反抗的勝利，做圓我們的夢了。萃我們所有的力量，要求了愛，獲得了愛。

啊啊！愛人！過去的時光何其甜蜜呢？我回想着過去，深深又在念你。…………

XXVI.

我昏昏思睡了。愛的潮音，每在清閒寂靜的境象裏敲上我的心門，向我鞠躬而微笑。我所以昏昏思睡了。

—— 71 ——

我好像坐在一個搖蕩的船中。遙遠地走來熱烝烝的太陽，引導着幾朶淡白從容的雲彩，降臨於此無涯涘的大海之上。我仰望天空，我夢醉地冉冉下拜着。愛之無邊呵！愛之大海呵！愛之不可存想呵！愛之偉大與廣漠呵！我是你的醉者！………

這是個短小的夢，我知道牠。但是短小就短小罷，我死心沉淪於此個夢中！我不得不爲此個夢前驅！我已經敲開了愛的秘密的門，我已經放步於愛的飄舞的場所。我何能忍心離去呢？我何能不極意留連，以歸償我的生命的重債呢？更有甚麼珍貴的意義，勝過此間刹那的流連呢？假如我的光明的智慧之眼，還未全盲，我能被誘於那些不值反顧的醜惡的存在，而猶豫，而躊躇嗎？………

愛人："我怎樣思念你，才可以得到美妙和更善的生活？"這是我現在最不忍捨棄了的一種有味的工作。我想把我綿軟的身體，完全臥倒於愛的抱中，就如我的心置放在你的胸間的那般安閒悠逸，清靜，和美。愛人呵，你許我如此要求於愛神麼？

……我思睡了，我昏沈了。……

XXVII.

我讀竟你的情書，悲愁悠然地來臨了。你我爲了愛的奮爭，失敗了幾番幾番呢？……

我們的破殘的體膚，便是愛的紀念品；我們污髒的聲名，便是愛的犧牲。……

但是，愛人呵！勇進！勇進！殺不絕我們的仇敵，我將自放於荒山僻野，以終我的畸零之生！……

XXVIII

何爲而祇餘有喟歎在我心旁盤桓？何爲而死灰般的我的精神，脫不出哀雲愁霧的糾纏？愛人呵，你的人又無力作贊美者了！

我有個自知的預言，要對你說：在我的死的時期，我許還是個青年，我的病，唯一的足以致我死命的，便是眼痛；我脫不掉做個盲人。因爲我的淚，確乎日夜在流，爲了這空虛的思慕。待牠的源頭涸竭時，我生存，便許結束於彼地了……

但是現在呢？愛的人！我仍然思念着你，不斷地流淚。

— 73 —

XXIX

這些時候，我對你的傾慕平淡了。不知怎地，我以爲你在欺我；我念着你，而你不念我。……

我自信我是個愛的驕子。你能從長久裏窺伺得見。我想從我的'天賦的愛'底宏富下，造成愛的侶伴。但是，失敗了麼？……

我承認像你那般美的軀體，必然包裹着一個完全的靈魂。創造之神，必當如是以賦汝。

你的靈魂也許被壓迫着，我將爲牠高呼了。神不平白地創造醜惡，必有'美'的根苗，種在你的心上。啊啊，我又在贊美你了，我不信你眞不會念我。……

有些塵灰打迷了你的眼睛麼？愛人，我恨塵灰比你更深些。恕我吧……

XXX

熱情的河流，仍然奔騰於我的胸中。愴痛呵！我面顏上的豔紅的春色，已隨著韶光的駿馬，遠駛而不見蹤跡了！

但是那過去青春底緋麗的夢影，爲甚麼幢幢地成隊成羣，飛過我朦朧的心靈，叫嘯馳突呢？……

頹喪的心呵，請吻着你自己枯槁的形骸而流淚吧。這春日如有循環，我當是一個少好的兒郎，在我夢鄉的未來之都。

——愛的人，我如是憂傷。

XXXI

我不敢再瀏覽任何的愛的文字了。凡是愛的形影貯在的地方，我都要一觀便忘神了。愛人呵，你佔有了我全部生命：——我的心何時不向著你而企慕呢?……

XXXII

好像輕飛軟飄地你將降臨於我的身前。唉！愛人！你的芳心將折了！請從這飄渺的微笑之中，跳上我的抱中吧。……

我是善夢的迷徒，愛人。'別離'又給與我有色的面幕，深黑了我的夢。

XXXIII

我想寄給你些珍異的小品物。但是這些東西，我從這個世界上的何處找得來呢?——

但是我的心已送給你了。

—— 75 ——

XXXIV

騷擾的我的孤魂，昨夜飛回我們的家屋內了。牠對着久別的你的身影，點首致愛。愛人呵，你見到了牠麼?
……

日復一日，憂傷咬定了我。一切的美底，靈底存在都不在我的眼中再現了；我怎能找得一個安放我的靈魂的磐石呢?!眞是夢!我眞在夢裏!你的身影，也在我心中呈出模糊不清的樣子。我只想——我想怎樣呢?我不自知，我想要你與我都沉沒於此時的醉夢之海中麼?我想要你來跳上我的抱中，塡塞著我的空虛麼?……我的血脈，搏搏地在跳動，我的魂也突突地欲脫出軀殼之外。生命與愛呵！相引的均衡的不可思議的戀誘呵!我怎能不墮入你們的重洋中呢?……

但是，吾愛? 我怎能自欺，雖然我已努力地自沈於愛之夢海中。當我一睜開眼，夢境便消失了。爲甚麼我不能握著你的手，在走出'夢幻之鄉'以後呢? 金錢拘禁著你我的'愛'呵，我的人!我沒有力量贖'愛'回來……

XXXV

你的雙目，何等要眇，何等新鮮呢!我想起我們第二次見面的情影了：爲甚麼你竟逃避我呢？我猜吧，愛人：我猜那一時你的身影雖然逃走了，但是明白些說，却有你的一顆搖搖而不甯的心，留在我的身前呢！……

你的生命中映現出來的，祇是一點'新鮮。''新鮮'是你，是你的生命。愛人呵，我是追求新鮮者。……

我希望青春的新鮮恢復，從你的笑渦裏泛衍著的清漪的光波中。我的人，你的眼中，足能寄存我一個飄泊的求戀者；我求戀於愛神之前，經過亙久的時間了。

XXXVI

愛人：現在我想得到一片雪野，使你我攜著手散步其中，一直地向前走去。那可愛的溫煖的冬陽之光，灑落在皎潔的雪上，自牠的素淨晶瑩的碎積的粒體中，反射出清白的迷離輝煌的文彩；那文彩輻輳著射集於你的嬌麗的面龐上，那是何等新鮮光明而可愛呢！我無以致傾慕之忱於此刹那之間了！當你的微笑呈露時，這個清晨的宇宙，頓時爲你而蘇醒。牠輕輕地揭起了牠的面紗，向你我怔忡地瞅覷著。你我呵，這是何等的可以驕傲而自喜的一幕劇呢？！……

"慢慢地走著！緊緊地攜着！"我從你的甜蜜的情語裏，愈吮吸了生之眞味！那太陽仍然緊緊地跟著你我，不肯放鬆一步。在雪野盡處，你牽著我的手，回首反顧：可愛呵！那兩條像野鶩踐踏下的婆娑的足印，成列不亂的雙雙兒自在地呈現著。那不是你我相和的生命裏愛的流行之跡麼？雙雙兒，雙雙兒我們可愛的純潔的愛影呵，牠飄落在白雪之上！牠留連而顧盼！我必須，我必須，高唱贊美歌了！愛人！你說這時我們倆有多麼瑋麗呢！緊緊地抱住我的頸，長而不可再長地親吻罷，愛人！…

——我憂傷，我以此類幻想，充塞我心頭的空虛。

XXXVII

"放浪著此都士女的情影歡言，彼佳儔之幽會呵，增我傷悲！我的愛人呀，似此短促的春遊，却爲何你趦趄而不前？"

"有愕蒲堪以亂我情懷，有良朋告我以行樂。曾即時沈湎猶患不給，却爲何我心之寂寥如昨？……"

"生與情俱呵，死則情留，我乃情之奴呵亦情之主。生飲子櫻唇之甘露呵，殆亦將伏子之熱骨而酣呼。…"

"吾之情贈汝，汝之情還吾。彼生死雖異形呵，情愛的河是在長流！"

愛人：我歌着這些詩句，我的心舒鬆了；我忘却了牠的醜陋。…………

XXXVIII.

空洞的迷戀，闢翻我了。愛的人，你徬徨在何處呢？當我撫絃時，那絃音破碎的沒有節奏了；當我歌唱時，那歌聲哽咽着…………

爲甚麼我捨棄你在異土呢！我這個賊！只求糊口的賊！我不能在愛的同居中，忘掉貧賤麼！?…………

——恐懦呵，我！我取此飄零的隻身，將同誰擁向前路去呢?…………

別離已經歷過一個秋天了，我的心仍然蒸騰地發熱。玲瓏的愛呵，我好像祇是昨日未曾見你。………

我的夢常留在你處，我的魂常飄在你處。有甚麼東西，可以阻隔住呢?………

你是我理想中的金像。但是無力的我的才具喲！我不能找到你我安居的所在。

使我有力，我便給你造出華美的宮室；使我有金錢，你可以和我同居。

但是力喪失盡了，金錢我不會向牠跪拜。於是我們相隔於千里之外了。死呢，讓牠也單獨地去招引你我

—— 79 ——

吧。

我祇將我的殷紅的心，在未死時貢獻給你。安受了這微小的敬禮吧，愛人。…………

XXXIX

愛人：我沉沒於空洞的哀慕之中，無謂地時時在念你。一切一切，皆被我鄙棄得乾淨！更無充塞的存在了，除過我這顆寂寥孤單的心。請吻我，愛人！我渴望你的舌液，如渴鴻之俯首於大海。請勿吝此點滴的聖漿，著意地傾灌我吧！我願株守於愛的開花的樹下，伴着你而長眠！——待我死去時，你守定我的熱屍——我不願再經痛苦了！…………

XL.

華，我的愛人！別離雖久，相見有日了。你為此而怎樣喜慰呢？歸去之朝，驀然的相逢下，你不羞怯麼？你敢抬頭望我麼？你不將喜極而迷醉了麼？我呢，祗有酒在胸膛中澎湃著。

我將握定你的手，或者流淚，或者酣笑，或者默然。…………

你我好像在夢裏…………

我如其能使日子水逝雲消，當不復念及你的情愛。但日月在我的眼中，是這般遲留不進！可恨一切都仇視我！我眞沒有逃避之所。沒有立錐之地，可容我徘徊，我於是便時時想一躍而止於你的抱中，安睡，哀泣。我失敗的亡徒呵！惟有乞求着你的愛。…………

我此時或已歸到你的身前了吧？你溶溶的情流裏，或早漂泊着這麼一個放浪之人吧？

愛人！吻我！拿你的纖柔光膩的指爪，按摩我跳動不安的心！當我的眼微微地睜開時，我立刻見到你的黑光燦燦的眼，正如我初一次見到時的神異。於是我的心便又安睡去了。

我睡倒在你的膝上。你爲我回憶一切吧：你回憶一切甜蜜的已往，痛苦的已往。一定要有許多蔭影，成隊地排列着走過你的眼前，要求你的眼淚的讚賞與悲憐。你可以想到你的離人爲了你現在疲倦地直躺在你的身前了；你可以想到你的光陰中的淚流，雖然曾苦了你而今却要告涸竭了；你可以想到蜜月中的擁抱，在別離裏曾變作夢寐，而今則恢復了甜美的眞實了；你可以想到早日想親而不可親的濃吻，現在任你自由了；(於是你也許伏身就我，接吻我的在睡眠的雙唇。)你可以想到曾惹你妒忌的人們的侶伴的美滿生活；而今可以釋然忘懷了；你可以想到風朝雨夕，窗前寂寞的時光，不再來侮弄你單隻之身影了；你可以想到“我的愛人，現在是我的了。”……一切一切，經過你的思憶都如雲霧般地消散去，美麗和平光明開朗的天地的幕，忽然掛現在你的目前。你擕定你的愛人的夢影，蹁躚而飛翔，軟笑而低吟吧；飄過山角水涯，你擕定牠不放。……

當你的愛人伏首親着你的手時，他的牙齒失慎了。你猛然叫出一聲：“我的愛！”於是我驚醒了。我當地看見你也在悠悠地從夢裏醒來；惺忪的倦眼裏，還深刻着多少過去的回憶。

本書實價三角

中華民國十六年一月印刷

中華民國十六年三月發行

狂飈叢書第三

I. 我離開十字街頭　培良作

II. 天河　沐鴻作

III. 給海闊的童話　魯彥譯

IV. 沉悶的戲劇　培良作

V. 白夜　培良作

夜風

沐鴻 著

泰東圖書局（上海）一九二八年四月初版。原書三十二開。
影印所用底本封面缺。

作驗叢書第二

第五種

夜風

沐鴻作

上海

泰東圖書局

1928

中華民國十七年四月初版

書名　夜風

著者　沐鴻

發行者　趙南公

印數 1—2000冊

定價　大洋七角

郵費　外埠函購加一

總發行所　泰東圖書局

夜風目次

—1—

海天的頌

幻的天,演變着,生的奮進呵!

波的海,衝擊着,生的鼓動呵!

微緲的蟲壳,你跳動呵!你跳動呵!

應和着,偉大,投入偉大的懷。

搏擊呵!你的長翅;

跳躍呵!你的心粒;

擁抱着:幻的天,波的海,

親吻着偉大去呵!

去呵,心!

雖然寂寥,有你的愛人。

飛呵,心,天上去——

——1——

天空飛着白的鴿子,——
那雙雙愛的鴿子.

眼前呵:
搖閃地,星的眼;
遙遠呵:
搖閃地,星的眼;
長的路程呵,星的線.
光的顯示呵,光的天!
心呵,親愛的,飛,飛,……

光的天——銀的幕呵!
星的眼——晶的珠呵!
光明的無邊呵,
光明的珍異!

那光天,
幻出偉美;

那星眼,

流出華貴——

不倦的流露呵,

不倦的幻演!

星的眼,

流盼着星的眼;

星的眼,

戀注着星的眼:

光明的映耀呵,

光明的繾綣!

星的眼,

照耀了星的眼;

星的線,

織成了光的天。

驕傲的光明呵,天的一粒;

偉大的光明呵,星的全體!

—— 3 ——

飛啊，心！

飛向星的天中。

把光明抱擁，抱擁，

幻化作天的一星，

飛啊，心！

飛向天的星中。

把光明親吻，親吻，

幻化作星的天空。

抱擁！抱擁！抱擁！

抱擁着光明，

抱擁着天星，

抱擁着天星間的飛鳥游禽……

親吻！親吻！親吻！

親吻着光明，

親吻着天星，

親吻着天星間的飛鳥游禽……

爲了飛，心呵，

擁着你的愛人。

那雙雙白的鴿子，

搏擊着長空青碧，

不倦地：

擁抱着，親吻着飛。

脚下呵：

光的路，

星的線。

踏着去吧！

前方呵，是：

星的海，

光的天！

—— 5 ——

波的海,搏擊着;力的劇.

海的波,爭擁着;愛的劇.

滔滔的大浪呵!

號號的怒喊呵!

勇敢的,歡喜的,

捲來,流去.

海不語,努力地流.

力的神麼?力的獸?

向上躍,海的流.

向前走,海的流.

生的起舞呵!力的遊求!

熱烈的歡呼呵,

創造的欣喜.

勇敢的跳躍呵,

生命的游戲.

波的海,衝擊着 生的鼓動呵!

微渺的蟲殼,你跳動呵!你跳動呵!

海的波,攢簇着,擁抱;

波的海,搖蕩着,踴躍.

驕傲的海的一粒呵!

偉大的波的全體呵!

波呵,驕傲的力子!

海呵,偉大的愛母!

號令呵,海的吼.

起舞呵,波的手!

去呵,心!

滾向波的海中:

翻滾!翻滾!翻滾!

翻滾成波的一星.

去呵,心!

捲入海的波中:

抱擁!抱擁!抱擁!

抱擁上愛與力的大神。

翻滾呵,力的翻滾!

翻滾着海,

翻滾着波,

翻滾着海波中的魚龍!

抱擁呵,愛的抱擁!

抱擁着海,

抱擁着波,

抱擁着海波中的魚龍!

為了飛心呵!

擁着你的愛人。

那雙雙白的鴿子,

她們已橫飛過長空，
來投入這偉大的波的海中！
來投入這偉大的海的抱中！

飛去呵，心！
飛上天去，
投入浪裏。
雖然寂寥，有你的愛人。
那雙雙白的鴿子是愛的驕子，
已勇敢地，先進地飛去。

去呵，心！
長途呵，伴着你的愛人；
不怕寂寥，不怕冷清。
那雙雙白的鴿子，
已勇敢地，先進地，
投入光和愛和力的抱中。

在天星中,

在海浪中,

在光和愛和力之中,

有的是:

歡喜呵,興奮!熱烈呵,轟動;……

寂寥和冷清都死了;沒有黃昏.

歡喜呵,興奮;熱烈呵,轟動;……

這些崇榮的贈禮呵,

將被你接受;在飛行中,在前進中.

飛呵,心!

前進!

前進!

前進!

幻的天;演變着 生的奮進呵!

向前走,海的流
向上舞,海的流!
應和着偉大
投入偉大的懷.

搏擊呵,你的長翅;
跳躍呵,你的心粒!
擁抱着:幻的天,波的海
親吻着偉大去吧!

二六,五,一八.

1

夜　風

一

長風呵,爲了甚麽,你當夜裏吼?
　　爲了甚麽,你哭着啤啤,泣着啾啾?
可有甚麽不滅的火在你心中燃燒呢?
　　告我呵!這深沉的夜中,
你可有甚麽怨訴?

二

我把風捉在心頭,
　　我的心也禁不得哀哀地吼,
夜的風呵,痛的心呵,
　　你們是不滅的煩憂者:
夢的,謎的,追求的愛侶,

美的,眞的,音樂的后都.

三

天空是未被發現的仙鄉,

你勇者呵,風!帶着我的心開始探去吧!

讓矮身者罵天空爲烏有,

讓近視者罵遙遠爲空虛,

但是——

風會有光的眼呵,

風會有長的翅!

四

人間在美滿地睡黑暗的覺,

夜風呵,你向他們訴甚麼牢騷呢?!

有幾個蟲兒鳥兒應和你吧;

驕傲的天星却在竊笑.

五

那星光祇閃爍地射在天表,

　　愛光的人,仰着頭讚美着伊;

我大力的風呵!

　　捲向你的王國去吧!

愛你的人,會搭上你的長翅。

六

有甚麽的火在你心中燃燒呢?

　　爲了甚麽,你哭泣着不止?

但是去吧,風,追求你個人的去吧——

　　否則掏出火來,

　　燒個紅天白地!

五,三〇.

惡夢之跋

我所有的文字將都成爲惡夢之跋；我所有的言語，將都含有荆棘的毒刺。

好友們所贈我的，不過那無力的嘘唏。但在我的沉默裏，他們的歔欷，也會同踞蹐之鳥一般脫籠飛去。

一切相貌，同是附帶着的奴隸的面具。他們也曾飄泊於愁苦的海畔作囘遊客，拿煩憂當作戲具。他們自有安穩的覺可睡，夢裏不見得被疾苦的呻吟驚起。

聽啊，佚樂的卑鄙的歌曲唱和者何其多，彩興何其高呢……

——16——

我的N弟喲,你知我在詛咒人家,在詛咒自己? 讓我狂嘯如巒崩峯坍,讓我暴跳如波浪怒起; 我與爾緊擁抱着,擁抱至死,暴跳狂嘯至死去!

聽呵,人家俏麗溫靜的言詞,多少平和!多少安愉!我欲直撐起,我這把枯骨,努力摔去;個個呵,給我摔成血糊塗的人兒!

我不配有這般貴族的同類,活活地看我瘦死.

跋之二

白骨成了我生命的象徵，我應如是帶着淚吻我的心。

肉紅的女體——華美的雲衣——一切幻美的被誘喲!我酖於酒而苦於味了!就使愛，也沒有力使我不見白骨的「尊嚴的慘淒.」

夢之一

瑟瑟的冷風抖起,我委縮在危樓之下.樓,高高地俯臨着一片沙灘,沙灘裏動盪着急切的,觳觫的河流。

那河流慘叫着,似一個打了勝仗的王國裏,發下了嚴重的命令,不計數的無辜的俘虜,剛被殺死的殷血漫濫地流成的河曲。

這河曲一邊喊出悲哀,又一邊在「吃吃」地向前推流;牠好似欲去不捨,欲捨不得地,有甚麼幽怨離愁。

危樓被冷風震動了,戰慄着 沙沙的發抖.從牠喊不出的警告中,我知牠在將墜休。

風在喊着,河在喊着,瑟瑟……吃吃……死國的讚歌。

我回首看我的家屋,好像巳成了水中坏土。我更不悲哀,因爲這裏巳消失了悲哀的意義,而爲我所感到。

我祇見我的N弟，他陷在河畔的泥濘裏。風瑟瑟，河吃吃，他步伐蹉跌着直墜入河水去了。

忽而他便被水浮起。但刹那前的肥美的肉體，刹那後却變成一架白慘慘的骨骼，同樣而異致。

他是被剝削片片——被冰流，被朔風的板刀剮死。赤紅的肉血，被河流吞了，只留此白骨一件！

我望着囫圇的骨架，也以爲是囫圇的N弟。我更不悲哀，懼怯，我僅知我所遺留的生命，也穿上了鬼衣

………

……於是我擒鬼衣，張鬼翅，便若有羣鬼同我翱翔空際，鬼的天宇。

……瑟瑟……吃吃……我輕鬆了………

………………

——歸向人間的路何處在呢？……

夢之二

危巖下臨着深潭如脂.羊腸的狹道上，走着s和我.

斜陂的,滑膩的,泥濘的山路上;我與S蹀躞着,提攜着.

忽然,我們似在一座小孤山巔,奔濤包圍着山麓,直欲撲我們而上。

無生命的悲慘與失意;催促着我。我們牽手捉脚想從山巔跚入山腰的坦廠裏去.斜陂,滑膩,泥濘,……攢簇來死的畏懼。

命運是永不可逃的:正如一隻小鳥，倣飛在無垠的海空,終須墜海而死.於是我與S跟定命運之魔,撞入浪底.

清和聖潔之波擊來,緊附上我們的肺腑:熱烈的擁抱,親吻,狂跳着不去。

T.忽似飛自天來—也許是從海底翻起，他笑迷迷地奔走於海濤之上，好似一位勇敢的戰士；馳騁於戰場.

我們一個一個被他從海中擲向天空去，正如擧一個嬰兒.但我們却沒有力量，在被擲起時找得一塊新立足地；終於「噗」的一聲還墜入深淵中去，正如一個不能自立的弱小的嬰兒.

他再三四地如此攀援我們，然而我們仍是在水上作戲.「登不上去呵!」我們呼着，望着山腰和山巔.山腰山巔；好似我們渴想的復活的聖地.

他再不能耐煩下去了：於是他左右兩手挾起我們兩個，乘波踏浪，横向前去.

前去的路程是無盡止.是在不可思議.是在不可思議!

安息些呵！

毀滅?毀滅吧!蒸騰的滾滾的怨毒之胸喲，安息些呵!我將持大斧有所誅殺 安息些呵,怨毒的胸膛喲!

怪石嶙峋。呵,我的胸膛呵，這是醜惡的眞實的化身,你請誅伐,你請執行斬鑿吧，對着這怪的化身。

充滿你的是勇敢與義憤。我的胸膛呵,狂漲吧！人間沒有勇與義的權衡,你被擠出到荒凉之境;狂漲吧!胸膛!無地容得勇與義的流行。

你的力呵,莫得安閒着 沸騰的胸!這一柄大斧，對此怪石嶙峋;你請用力吧,剷平這堆怪石去。胸膛呵!你將自此稍覺舒鬆。

羅網是人間永久不破的安適的家庭;聽呵，掙扎於束縛之上的愚蠻的自得的盈盈笑聲。你個義勇的盜賊喲,胸膛,誰肯讓你譏訕,踐踏,拆毀去他們的美似蕩婦之笑的華屋呢?!胸膛呵，你將被逐;你將被逐到荒

——23——

涼的境地。

這不是枳棘蔓蔓?請用力吧 胸膛! 你要刈此漫路的莠狗,當作征伐吧——殺戮盡人間的臭爛的走尸,再請繼以焚燒。焚燒吧 胸膛,讓路間永絕枳根棘蔓 讓人間的臭尸朽骨,一堆付之灰燼!

請!請!用力!用力!胸膛喲!丁丁地鑿平嶙峋怪石,呼呼地燒殘蔓蔓枳棘。讓怨憤滿拽似彼長虹,狂漲似彼天河。胸膛喲,你將自此安靜,自此平息!

簇簇是破敗之屋 漫漫是荒蕪之地。但是我的胸膛呵,聽我的約束:你許不是這人間的諂笑的工徒,會在人的唾罵中,做你的建築。你且走去,走上那山嶙峋草蔓延的所在!枉用去你的氣力,空擲去義與勇敢,作人間之失伍者!作人間之失伍者!

你惟有從你的手中接得些甚麼 便猛力撕扯;你惟有踏平了他們舊有的家屋,再找得你的立足之所!

胸膛喲!我愛的!安息些呵… ……

沒有主宰

沒有主宰在我的身上呵……

在我的眼前,花散地祇有?,?,?……

我的心,呵,力呵!似乎鳥一般飛去了,在我長途的障礙裏。……

我望着烏有,無聲地歎息着。

我期待什麼。

可憎的烏有與一切呵……可憎的……

(我曾歡喜過的,我都憎惡了;我曾歡喜過烏有,但如今我也憎烏有了。)

從?,?,?中,懸出一雙明目,活耀的美的幽靈呵!我憎你,也又愛你;我將擁抱你,讓你取去剩餘的一切……

我不愛死神,但又不知該愛甚麼。

沒有主宰在我的身上呵?!我不疑似的疑問。

——5——

較我聰明,較我有意思,最下的還有近乎無事的沙漠的一粒,

沙漠和風的膩手和水的軟抱結着甜蜜的婚。

但我連烏有的最後的婚也離棄了。

海水的一滴,那是生的鼓浪。我愛牠,但自我的翅膀不愛飛時,我看牠像一顆淚。

我的心飛去後,我的翅膀便不愛飛。

甚麽可以作我的主宰呢?我向着?發問。

鳥聽着鳴聲,飛向友人處了…

河流奔馳着,去接河流的吻…

風和風,擁抱着不會解開…

落葉唱和着,樹葉底頭交頸地舞。

山岳睁着眼,對觀着他們所愛…

蛺蝶們更厭人:牠們成對的飛…

但我在把握着空虛。我將如何使我的空虛,變作我所愛呢?

我需要一個主宰,但主宰却似不需要我。

讓我去吧!我將瞎了眼睛走去.誰的酒最有味呢?

誰的酒最有味呢?

我願以昏醉代主宰.

足踪與心

我的足踪,拜訪着頹殘的垣舍。我的心冷顫着,閉上眼,央告足踪離去.

足踪移動着,走去心所佇望的地方。心張目了,但牠失望。牠吼道:

「怎麼又拜訪死屍呢!?」

足走着,處處是頹殘的垣舍。心哀吼着,在牠每次的睜目裏.

頹殘的國裏,住着殘廢的小怪物。他們用殘廢的踪,像蚊蠅似地咬我的心,使心不能忍受.

心哀叫了:

「火呢?燒他們……」

於是牠束起武裝,從牠伸出的手裏放出火來。足踪聽着心的新的命令,送火到牠曾經走過的地方。

死的路

野地裏蹲着幾個黃色的土堆.牠的腹下，臥着白的朽骨.熒光在草上,閃出死的祕密和華嚴來.樹上有宿鴉的哀哭着,凄風啜泣着。

我望着暮的渺茫,無端墮淚.

鬼!靈!我將踏上你們的路途；那人間的，刺破了的血淋漓的路.我將負着那不醒的虹色的夢，送給黑暗去,敲開你們的門.…

無題(一)

我攜定一個甚麼紛糾都不解的女孩子，散步在綠草蒙茸的芳洲上.

牠的諧謔,激起天空的音樂.她的笑，令一切都麻醉了.

我墮在夢中.夢的深淵裏,水的幽光閃爍着，夢的天空裏,風的軟浪鼓扇着.

我聽着一切神秘的跳躍.

我們飲着酒,沒有俗客來搞我們的心門.

「那裏來的暴風呢?」她忽然問,

我於是站起,望着遠處.風呼呼地自遠而來.

風盡處,我的朋友出現了.他疲倦地倒下.

我給我的朋友酒飲,讓他和女子握手. 我脫下他的血衣,浸在河水裏.

他於是睡覺了.我們歌唱.一切神秘的甜蜜的味.

在復蘇着他的魂。

　　他復蘇了.他唱:

　　血和酒,擁抱着吧!

　　愛和力,擁抱着吧!

　　生和死,擁抱着吧!

　　在他唱歌時,我們便一起急促地走開。並且對芳洲都唱出告別的句子:

　　「別了!別了!不知歸期……」

無題(二)

「飄流」送去我半世的韶華．生命好像一片秋天的落葉似的;「死亡」初次蒙着朦朧的面具，走上我的跟前,要求我把愛還給牠．

牠說:「死是一件珍異的快樂.」我了解牠的話．我開門望着薄暮的天涯，那重重嬌麗的雲霞正織着幻滅的華嚴的墓．

呵!我所愛的,我將去了!軀殼被火焚成灰燼後,我的靈魂,便滅落到雲天的一角.

無題(三)

人將有個總攻擊在開始着麼!我衝破一切的隐給人以危險了.

「力」呵!我的師!請移你的勇武於我吧.人所錫名於你的是「惡魔!」「惡魔!」請你安受了吧,

給我力!師呵!我將攻擊敵的攻擊。

愛後

赤條條地現出我全體的肉骸——

　健硬的,挺拔的,戰士的石像.

跳的足,握的拳,一隻野馬似的放蕩;

　自圓睜的眼裏,射出鋒利的光芒.

愛人阿!我的心已經由沸騰而清涼,

　因爲你的清和的愛流,

正沐浴着我的肺腸.

　分明地,在我們眼前,妖氛熾張,

我須鎖定着那復活的力,向前勇往!

石像

這是一尊被埋沒的,古代的,奇偉的石像,
　地層裏,經過了悠久的,沉默的時光。
寂寞和隱遁,裹成了牠死亡的軀殼,
　泥土的汚垢,呑蝕了牠的金碧輝煌!

牠好像戰場中奔馳着的勇士,
　仇敵的腥血,猶然沸騰在牠的腹底。
但是他疲倦了,凝望着日暮的歷落的雲霞,
　一線的愛的光芒,射過牠的心際。

牠猛力的制裁,猛力地擺轉牠的步武
　但是頑强的牽引呵——愛之惑誘!
牠憤怒着掙扎着作出反抗的逃走,
　但終於逃不出愛魔的無邊的手.

——35——

於是牠立地變作一個懶惰的敗卒,

　冀求着麻醉心志的奇異的藥.

但所有的道路上,只有空虛與煩悶的狂熱,

　「沒有醉人的呵」,他失望地叫着,躺在一株樹
下.

牠夢見一位少女蹣跚着走來,

　手提着一隻花籃與一隻鉄杖.

伊懇摯地告訴牠以新的夢謊,

　花籃裏滿盛著愛與勇的酒漿.

伊爲牠親手斟滿一杯熱酒,

　靠近了牠焦斂的顫動的嘴唇,

伊喚道:「敗滅者醒來飲酒吧!」

　接着便咕嚕地灌下幾鐘.

牠開始恢復了牠野獸般的精神,

猛力跳躍起,跪倒在少女的足下,
牠要求伊吻牠並且抱牠,
在最後的分手的剎那。

於是少女允許了牠的要求,
親手遞給牠伊的手杖。
伊珍重地對牠致別離的情話,
——這手杖是一往無前的保障!

於是少女倏然不見了,
在牠手下,祇有一支光明的鉄杖。
酒香繚繞着牠沉醉的靈魂,
仙女的囑咐,在酒香裏是何等深印!

赤條條地現出了牠的骨骼,
健硬的,挺拔的,戰士的石像。
跣的足,握的拳,一隻野馬似的放蕩,
好一尊金碧輝煌的石像!

— 37 —

遠別

這顆可憐的被扎傷的我的心喲!

　你蹣跚而前來,是否要向我告別?

爲了什麼你哭喪着臉兒!

　爲了什麼你涕泣,淚兒彈着雙頰?

大惠的自然是你的嘉鄰,

　爲了什麼你不能安息於牠的懷中?

爲了什麼你涕泣,你轉怒而奮起思求戰征,

　——拋却那甜美的久安的睡枕?

那自然的神祕的寶藏無窮,

　你果誠是個求神者,

必能溶身化入牠的偉靈.

　你更能求得高尙的飯食,

在彼大奮之中,

　但是爲了什麽你抛開牠,

一去了無踪影?

你的愛人,你許將斷絕與伊接吻!

　——那豔美的嘴唇上的朱殷

也將隨落日而陷於蝕殘凋盡。

　你狠心的豺狼呀,

爲了什麽你必須求彼岐路生存?

阿!我的心呀,我亦何能責備你的頑蠢?

　你慇慇的惜別的淒語哀聲,

不住諄諄地來擊上我的耳門?

　我爲你曾昏睡沉思,

我爲你曾祈禱神靈.

是否此世將陷沉淪?

　是否此世一個溷濁?

——39——

是否你那高潔的雙足，

　苦無處而竚存？

是否那和平的華屋，

　已頹墮而將傾？

是否那天國的樂曲，

　己闃息而銷泯？

是否那醜惡的魔窟，

　森立此世而猙獰？

是否那陰黯的黑夜，

你常聽到羣鬼的啾啾之聲！

是否有精悍的强賊，

　已闖入你的門庭？

是否那雪亮的利刃，

　己迫你而抗爭？

　是否此世的豪魔，

皆向你而取攻?

　是否此世的江流,

已擁血而滯停?

那麼,我的心喲,你便別我遠去吧;

　你便捨去你的愛與嘉獎,

決然奮爭去吧!

　將你的首級,貢獻於戰神;

那是名貴的死滅呵!那是名貴的生存!

請看那猛蟲狂躍,醜獸追奔,我的離人!

　你的戰袍,剎那間盡染了朱紅!

在渺小的生存裏,你雖無知,

　但必有個『華裝的世界』的影子,

頻頻印入你的墓堆裏的夢中.

春的潮音

青春的怒潮帶雨歸來,

飄泊的落葉殘紅猶在.

滔滔如斯而我已將衰,

罪惡的過往呵,請爲我一去勿還!

愛的人,緊攜定我的手腕!

我與你躑躅於那不幸的愛的河畔.

瞻望那中流的迴旋團團,

知否我曾在彼顛簸撲翻?

我欲執銳利之筆硬如竹節,

飽醮以我血管中的騰血;

一行行漫書我的罪惡成文,

歌之以亢喉呵,聲如裂帛!

愛我的請竚立於我的面前，

我將爲你作似畫的小傳。

彼神女方驚赧而自愧，

允給你導引上永樂的仙山。

煩亂的潮音呵，何爲怒號!

荒唐的春日呵，生涯之牢!

種悔恨的根苗於春晨，

收彫落的花葉於秋老。

獻心

懶散的午陽,洒射着幽獨的小屋,
炭爐的熱悶,蒸損了我的心粒.
我把定火熅熅的捲煙拼命呼吸,
無聊賴的命運呀,我能否征服你在此咫尺?

堪笑那懦弱的我的心呀,
爲什麽出獵未獲,遽爾退息?
那聲聲的冷嘲熱罵衝耳擊目,
儻能將這深仇大恨,輕輕放過!

你倘能一死以了此世孽緣——
但是可恥的紀念呵!——
世間光怪陸離的所在何多!
俯首而死,誠不若進而取捨!

祝死

呵!我偉大的軀殼呵!

你掩護不了一個愛人!

呵!我磊落的壯志呵!

你不得安臥於愛人的懷中!

我充溢的精神呵!

你眼前的幻象何其薾颯!

一切都飄逝如流水呵,

我將伴之隱去我的踪跡.

失敗的英雄的遺靈呵,

來導我上登彼蒼碧!

俯視着脚下的塵埃,我歎息了:

「獨不見我所愛者!」

呵呵!我偉大的軀殼,你朽化去吧!

你的愛人將從此失其鮮麗

她的顏色是憔悴的春的花朵,

珊珊地脫落了,剎那間將變成白色.

給我的小學生

緊鎖住我的靈魂，
緊關住我的腦門.
胡琴在唱着平凡的歌曲——
你個聲聲不入耳之音!——
被擯棄的荒涼伶仃的同情呀，
怎不一蹴上我的心庭!?

純美無瑕的小天使們呵，
讓我緊握著你們那污髒的手。
我將用焦灼的沸騰了的我的淚粒，熱烈地親吻
牠,親吻牠呵!
洗淨了那斑散著墨流汗珠.

我擬猛厲地彈出悲哀，

從狂吟與極呼之中;
荒涼呵!孤獨呵!……
我久被棄於快樂之羣.
嬉遊的羣衆的歡聚之場,
從不曾有纖細似蚊蚋悄飛的同情的音波,
打破我耳旁的寂寥沉悶!

一線微光爲你們所具有;
我是個煩悶於長夏的旅行者,
你們給我以清涼的早晨.
我離開你們呵,
我將聽到墳墓裏的鬼的歌聲!

我寄居於宴樂之羣中,
我在錚錚地破裂着我的生命:
一條條牠碎落在我的心田,
如幾隻秋葉墮向地心.
我掙扎於冷酷的陷坑之中,

貽人以輕蔑與擯棄的戒懲!

呵!小天使們呵,請救我以微笑吧!

我將撲倒在你們的抱中!

流放的飛鳥

無邊的海浪奔騰着;一隻飛鳥逐流去了。牠顛撲在奔濤之中,找尋永久的歸宿.

海浪騰躍着鳥的翅膀,有時打翻鳥在浪底. 但鳥終於翻滾,翻滾,翻滾地掙扎起來,浮在水面;看見天日的光。牠以困苦爲趣味,牠以顛撲當作安睡. 於是牠一直逐流去了.

永久永久地牠不曾發見牠的歸宿之所. 牠所時刻碰到的是:硬利的暗礁,與黑色的海中的植物. 牠曾經走過了冰山之谷與惡木之林: 陰風與慘霧幕滿海的全身,颶的浪颳起海的號咷的歌曲; 宇宙是在永久的夜裏推行。牠懊喪着,失望着,但牠仍然勇敢地逐流飛向前去!

但牠終於疲倦了!無力再奔騰去. 奔濤將要吞沒牠,沉入無底的海底.海狗們都伺待着牠的沉淪, 將取

——50——

去牠的純美的肉體,開張盛宴.牠疲倦而且怯懼,沒有一點淚漂泊在海面而起了迴旋的美的悲哀，引起牠的歸鄉的思念。

牠直待哭得淚和海都涸竭了，於是牠得到了歸宿的發見.

牠飛上空的海岸.新鮮的海的空巢——海涸了!——指示出一切的回憶.牠回盼着自己是伶仃的，消瘦的一隻鳥兒；龐大的,雄偉的軀體的踪影，消失的不見了.

牠再不懷疑地抱著牠所新得到的珍異的贈物——新奇的悲哀—歸向故鄉去!歸來永久的歸宿之地!

命運

我從認識了旅路的一日，便一步一步追逐着命運。牠正如其他的詭異刁險的神仙一樣：引我由光明進入黑暗.

正當我爲著戀愛狂號時,命運却贈我以憎惡；正當我爲飢困煩惱時,命運却叫饑饉來到.

我才把定了一支聊可安慰的臂膀,徘徊在曠野;但命運更不睬我,使臂膀掠我而逃.

假如我張嘴向人借債,有時竟得到允許的慷慨;但命運終於作弄我,牠使有錢人失却信愛.

寄弱者

我與你有人類之愛;但却沒有戀愛. 我認定戀愛是自私的,但却爲上帝所承許,而公開在人間.

弱者呵!我十分愛憐你的怯弱, 我十分同情你的命運.但我也十分信仰我所信仰,承認我所承認.

我犧牲我半條生命,可以爲你求衣求食, 求你的安甯. ——但我終不能擁你在懷, 同你接吻. 這個意義,不是我的權力所能解釋!

弱人!即使你僵臥在我的家裏, 我總能不含愧怍地跪在你的靈前.沒有甚麼罪惡,足以令我懺悔.

你祈禱你我重新合歡的夜泣, 我在夢裏也能聽見.但是我不得再回頭走這一步「相殺」之路了. 這實在是我的權力所不及的.

於是我的「戀影」,萎縮地將似一朵殘缺的秋雲,被命運的暴風捲食了!

—58—

於是我的愛人憔悴地將似一隻病瘠的鰷魚，被命運的長鯨吞噬了!

我的三個弱小的妹妹，她們被慎重地從死的父親的手裏交給我．當我被戲弄於命運時，我覺得她們的生存太不値了！——怎地她們能再安睡進母親的腹中呢!?

一個弟弟失落在荒野，誰和他同聲歎息呢? 我爲甚麽生存着，忍着命運的玩弄，睜睜地看他失所流離呢!

富人們呵!你們好自寬懷，拿些不好聽的故事，談笑湊趣吧!天上的雲不會湊來麽?風不會聽起麽? 我回答你們以大的敬禮，一刀剝破你們的胸膛，看同情跑向何處去!?

我追定命運，而命運總善挖苦我;我呼命運爲天，而牠並不應我。我俯仰天地的悠悠，愴痛沸騰上我的心頭.我直撲上青霄，炸毀了雲彩與冥空去吧? 我横衝到人間，蹴倒了高牆與嚴扃去吧?我猛掄鐵錘，我怒放棘矢,搗碎那,射穿那一切與萬有去呢?但是命運却不曾躲藏在這里。愴痛沸騰上我的心頭,我找不見仇人决鬥.命運阿!你終是渺小的神仙!無賴的魔鬼!你爲甚不和我明白地周旋呢?…

我將戰勝了你這個無恥的小鬼!我將搗擊你個粉碎!

命運笑了在我的身旁.牠鬼也似的不讓我捉得見牠.我沉思着,俯着首,踱着步武,我用力一蹴,命運被我的脚踢倒在地.

命運向我求饒說:「我是個隱者;隱去了愛,隱去了信,隱去了善意,同情…….你的朋友們的「白眼」,和「撒手!」那是我眞的姓名!請歸去吧!搗碎了他們的頑石似的心!」

漫記（一）

你不能高飛！你不能翱翔於青虛間！那麼，你needed躑躅盡你所有的黃金色的時間吧！這是一定的命運呵！

我糊塗了我所憎惡，而永遠在憎惡；

我得不着我所愛慕，而永遠在愛慕。

如有安息的一時，那我許祇是一副皮囊了。朋友，裝在你們好義的，急難的金錢換來的棺木裏，我可以無言了！

漫記(二)

圍困我的是永刧的夜,是無盡的仇敵與鬼.現在,我再不能有僞假的甘蜜的同情了;只有一片愛殺的心,躍躍然欲跳出我的胸膛.

我將作死者.我將承受無盡的仇敵之怯退而痛快的詛咒,來送葬我.我將奮力求個殘廢的尸屍,在現在可惜將要逝去的光陰下。

「養生」麼?我不懂.我不自覺地要討我的命,送之於鬼魔之手.

拘留一個貧乏者,反抗者的靈魂,是無在不有其人的.人麼?鬼!鬼!鬼!………

我喘息於鬼鄉,我的氣息帶有些鬼味了,——但我是死了終不得讓他們來攜手的!因爲他們終竟恨我未曾投降.

漫記(三)

失却和平與美麗,同情發出孤單的叫。安樂的王宮,到底是貴族專有的,容不得我這般窮酸者居留.

我想刼奪伊的愛情:足珊珊而不前!手顫顫而發抖!

理想者們呵!讓你們遠飛——遠飛到無限的藍碧與愉快的長空吧!如果有疲倦侵襲了你,你能躺倒在空中麼?

你呵!如果閉上了那被繁華的夢佔有了的眼,你不會見到你的渺小的軀殼,在潛沉於溶溶的骯髒的血流中麼?

如果我是個自私者，便當一無所顧地速死。一個飄逸的鬼魂，較好於載重的奴隸。雖然載重也有安甜給我，但我恥受主人的安慰——我不得担負我自己的担子，因爲所有供我們生存的貨物，都被主人們佔定價了。——無物是我所佔有的，除了作歌與祈死。但歌聲漾溢在在穢臭的空中，終有損於他的純潔與珍異——只有死，死會把一切消滅，開張清朗的寬暢的別一天地！

但是如果我是眞勇，我也應並不去死。戰呵！戰呵殺却一切的魔，留此孤獨的叫喊——同情的叫喊，也必能開張清朗的寬暢的別一天地！

愛之貧乏的鬼

孤獨的山巔,秋光如洗地灑着.鬼的淒哀的叫,從暗陬裏絲絲地抽拽出來.呵呵!這許是愛的貧乏者的墓地呵!

他們和她們的愛,都失却了:或被奪去;或被偷去;或被抵押去;或被監禁去;還有迷了路找不着的;還有找着又被打刦了的.還有……

他們和她們祇拿得單調的淚來,寄居在孤獨的山巔.久之,久之,山巔上有了他們和她們的坟墓;久之,久之,山巔上抽拽出鬼的哭聲.

靜聽着!鬼哭來了!我的傷心的友人們呵!
靜聽着!鬼哭來了!我的貧乏的哀魂們呵!
秋是這末延長着;
墓是這末擴張着;
貧乏是這末繼續着;

愛是這末沉淪着。

靜聽着!鬼哭來了……

鬼是這末哀號着呵!

醉色的友情

朋友!我沒有別的,可以爲禮於你。我不知被甚麼灌倒了,永久的,永久的,胸膛中仍然奔騰着牠的醉流。我遇到我至愛的你時,呵,別無可以致禮的,朋友,除了決隄般的破裂了我的胸膛,溢出這些醉流來飄沒你的憂愁。

沙漠上

歌着吧,還沒個囘響.歌着吧.

嘈雜的罵, 煩膩的笑聲——歌着吧, 還沒個囘響.

風的狂縱,水的嬉謔,卑鄙的音——歌着吧,還沒個囘響.

沙漠喲,廣漠!廣漠喲,寂寞!歌着吧!仍然還沒囘響呢。

風聲,笑聲,狂縱與嬉謔——寂寞喲!

狂歌(一)

疆場上林立着義勇的奇兒,轟轟的大炮,遠射着敵人的城池.

那大風發發的,黃塵瀰漫了大地,

我義勇戰士啊!乘着這天威直橫前去!

我有那美酒肥羊,期待你們的凱旋;

真勇的人啊,記取得醜虜之頭顱回歸.

我將取這興奮的污穢的血滲入酒杯,

讓你們飽飲着醉倒,頹廢如泥!

仇敵橫暴你何不報之橫暴?

請莫須姑息吧,速來接吻這血的酒杯.

這杯中裝着我們歷史上的教訓,

見否其中映出那先烈的失敗的雄影?

大風熄時你的酒醒了，

這天地已另自努力地翻新.

那晴光白日照得滿地通明，

你們創造的偉績呀,刻刻在這自然之中.

狂歌(二)

寂寞吞噬着我一條無聊賴的生命,
小石般的敵意,擊着我的心鼓砰砰.
紅顏啊——青春的使者的贈品
我將雙手將這件寶物拱還於君!

壓迫的沈重的我的心靈,
爲什麽日已西沈爾尚冀求光明?
就讓你頑强着不聽敵的命令,
你仍然不能割斷那一條命運的强繩!

愛的人!我眞個將飄泊於一個新的國土,
那裏只有烈性的煙酒,與婦人的櫻唇.
跟我來,愛人!緊攜定你我的雙手踉蹌馳奔,
我再不回首地浪漫地直往前進!

——66——

哎!愛人!吻我吧,吻我的焦敝的嘴唇
我不希望再有覺悟的時期,
如果你有那種强烈的煙酒,
而且你肯完全地供奉給我你的青春.

反抗的口號,我將停止呼號,
那是討人厭的無權力的具文!
如果你能飽飲我以醉酒,愛人,
我只願你在離去故國的那日,
先將那陣前的仇敵手戮一淸!

我們須將毒手隱藏於幽閉的心中,
莫讓仇敵的偵探頻來窺問.
直待我們已把彈粒放盡的時節,
好去看那仇敵醒也未醒.

作戰勝的隱逸,不作戰敗的逃亡!

愛人啊,聽我把那秋的歌給你呼唱!

　那是多麼獰厲的懲罰的命令,

對於這些衰老的昏沈的人?

　跳上我的抱中吧,愛人!

我們的工作已完,要親熱烈的吻。

　那個新的國土,期待我們有日了,

前進!前進!攜着手兒直往前進!

漫記(一)

能讓我理想的生命中消失了她的影子麽？暗夜裏我雖仍然寂寞着,能讓她不入夢麽？卽使她不是人間所有,呵，但上帝已經把她寄放在我空虛的靈魂裏了.

漫記(二)

神呵!我不見你時,你以爲我不是馳騁汚流中而忘返麽?但是神呵,我忘却你了!

當你呵斥着我,追逐着我,不幸地衝倒在泥濘裏時,神呵!我知罪了.我的全身上的罪過的皮膚,都震震地被痛苦剝削着.

罪惡並沒有甚麽甜蜜給我 但我呵,是被飢渴的魔惑誘了.

我在踩躪人麽?人亦在踩躪我.免不掉是相互的踩躪呵.伊們我並不愛,而且討厭伊們如野猪的荒淫但是我們竟互相踩躪了.

神呵!我能命令我的脚,在飢渴的路上,不被魔鬼拉倒了麽?

呵!神呵!給我醉飽吧!

漫記(三)

燦爛的雲,迷失在山後;潺湲的流水,低低地在幽谷裏哀歌離別。

被棄者的手被腥膻攜着，指示他去臥在腐臭的墓中去了.

成功是一朵美麗的慶雲，自創造的手腕下一針一針地織成.

鳥呵!假使帶我在你的翅上,你將飛往何處去?

朋友,我所有的悲哀,都是從「春的冷屋裏」取來.這便是我的生命,我的詩,我所有的一切言語.

痛苦的藏匿

藏匿的痛苦,哭在心裏。

人們,沒有善聽的耳朵,一直聽到我的心的暗泣。

我的心哭在人們的嘩笑同睡夢裏.

嘲笑麼?你痛苦之藏匿者啊!

假使僅我不願痛苦了,其時我便會飛在一個無限長的天空去安睡。

假使僅你不願痛苦了,那麼,便請你剖開我的胸膛,拿我心頭的血,熱熱地離在你的心裏.

假使你我都不願痛苦了,那麼,便請你一刀剖開我們兩個的胸間.

藏匿了,會有甚麼香甜呢?—— 除却懺悔,幽怨?

藏匿了,會有甚麼了期,一直到死?

剖開吧!請剖開這痛苦的藏匿的胸膛呵!

心靈與軀壳

軀壳　唉!愛人!爲甚麽憂戚與哀傷的煙雲，佈滿了你的臥室?爲甚麽高尙的，快樂的樂曲，不自你的嘴唇裏浮出?

心靈　我衰老了，傷心憶起少年的時光. 我靜待着死神的來臨，收受我那半世荒唐的勾當.

軀壳　不然，愛人. 並沒有衰老能擁抱上你——你不能自放於頹喪.你的權力較大於上帝給與，你能自置你的生命，還歸少年的家鄉.

心靈　不然，吾愛.我憶到你的嬌嫩的面龐，於今憔悴如黃葉；我憶到你的雄美的肢體，於今瑟縮如枯枝.我不能離別開你，獨自去飄泊，流離

軀壳　呵!丈夫!莫再失意!收拾了你怯弱的頹喪的吁嘻，吾告你以永久的春的故事.

心靈　我想到世間再不會有個春日，給與你我；

—72—

我曾眼見那青春的消失,如晴明的天裏雨的易過.

軀殼　的確有個永久的樂土,長春的天日;她佇待人們的發見,隱隱裏時在暗泣.她是不老的少女,未來的歌者;她殷憂地找尋她的追求者,擁護之而前進不息.她面對着眼前的世界,站足在一個未來的島國;你可以聽到她的祝福的神曲,鼓舞着海上的碧波.

心靈　我有力發見她麽,愛人?我發見了她,她能償我以你我已失的春的顏色麽?

軀殼　我雖是半老的婦女,她能重新給我以朱顏;你雖是將衰的男子,她能重新給你以壯健.

心靈　你的話如果眞實,吾將能再被擁抱於你的懷中,甜睡而歡唱;我將能不已地吻着你的朱唇,昏沉而迷醉.

軀殼　她賜我以永不褪色的華裳和珍飾;待着你努力地追尋她時,我將裝扮着如一位未曾露過面的女神,珊珊而來,迎你上登彼天國.

怨春的歌

青春將與流水長逝了,

落花泣別着花蒂.

煩悶的時光呵,

我曾有不踐踏你無情的足下的一時?

來往於寂寥無窮的渺茫裏,

時呵,你永遠帶來憂患與苦痛的贈予.

我欲沉湎如酒狂鬼厲,

坐對着女人們獰笑狂嘻.

那女人頻頻地逗弄着慧眼,

玲瓏的光華一線如虹;

無生命的彫刻的美妙,

如彼野狐的善淫.

我放開心猿意馬,

繫不住情繮慾索.

在此世更無名貴與高尙之價,

勝過此地的刹那.

流水永在滾滾地前進,

青春將長臥於墓中呵!

我須葬身於殷紅的婦人的唇邊,

追踪憂患的時光於無盡!

海上的春

阿!姑娘!在你的門前,你站立着。笑從你的嘴上飄出,你的臉泛紅了。你的眼睛轉着,水顆似的,把你的愛送給我。我是個少年,我是你的地主。你爲了這些愛我麽?……

我願意把我所有的土地,贈給你。買你去掉掛在我身上的「地主」二字。我愛你,姑娘!你呼我瘋狂的蝶好啊。

海邊的居人,都愛着你。但他們也都憎你。好像愛神不來憎神自然來了。是呵,他們妬忌你。我呢!姑娘?我祇覺得你在我的夢中飄流著。

春天快過去了,眞短促的像一個瞬息。但是,姑娘,我的夢仍然被你擾亂着。這是你對我的報酬麽?…

我的靈魂,被你抱去了。你爲甚麽不敢和我言語呢?……

——77——

我的家中,可憐的有一個妻.這是「不幸」給我們作合的.她是個溫和的女人;不計較她的命運.當我生氣時,她只有忍受.但我寬恕我自已:我好像祇在和「不幸」宣戰.

我一出我的門,脚步便拖我移向你的門前.當我看見你那一雙明珠般的晶瑩的眼睛時,我站住了.我想問你:「你的母親在家麼?」但這個意思,並沒有大的力量;我盯着你的眼睛發呆時,牠便浮漚般的消沉於我的腦中的忘却的海裏了.

我的父親和你的母親很厮熟.但他們却陷坑我們.我們的心牽着一條線,被他們用牆壁隔斷了.這件羈縻囚犯的勾當,令我憎恨了.

姑娘!幼小的姑娘!你也許不會想到你的愛將被枷鎖起吧.但是我不能隨便走上你的門前,已經三日了.……

利劍呢,姑娘?你的情人請求你磨礪着牠!你不要嚕嗦着,暗地裏對我哭訴;我的劍我自己磨礪.你的呢?……

我不是個怠懦的孩子,我的姑娘!我有强的手腕.但是你必須先磨着你的劍,讓你的劍聲來喚起我的劍.那麽,我將更有力了.

磨呵!磨呵!我願聽你的劍聲,在殘夜裏激鳴,那雄美的,嘅嘆的劍歌,擊著我的耳,我好像聽到那蒼茫的,沉默的天,將要破裂了.

我的心狂笑着,我的力跳躍着.

人都不是沒有眼睛麽?他們在黑甜裏熟睡着時,他們的頭,已被我們割去了.走!姑娘!遁走!遁走去海的寂寥的一角.

我們結屋在此一角之上.你我廝守着.當那夕陽和海面接着最後的紅色的吻時,你從海岸上的沙土裏,收檢了許多可愛的貝殼,緩步歸去.

我耕着海濱的田,疏鬆的沙土,好比一領柔軟的地蓆.當你抱着貝殼,走過我們的田畔時,你從甜美的睡裏把我喚醒.

我們在歸途中,唱着贊美海和天的歌子,歌聲洋溢在空際.

當那皓月掛上天去,輕輕地衝開了黑暗,顯出天的灰藍的淡素的華裝時,我們談笑着我們的過去.

海潮衝擊着,起了微和的風.風鼓着翼,飛上天去,遮沒了皓月.在這刹那的黯淡時光裏,我發出玄祕的歌詠.

我唱着歌,你鼓着琴.歌竟時,我們都靜默的啜泣着,好像海的幽魂在哀訴.

阿阿!生存呵!我們日日這樣把牠送去了,一直達到死的岸上.我們需要把生存驅逐向一條路上麼?我們愛着天,愛着海,愛着自然呵!人間有甚麼東西贈與我們呢?醜惡戰勝了一切了!他們在醉裏死去!我們到夢裏生着!

我的愛!當那海潮一旦捲至我們的脚前時,我們跳進去罷!我們吃着魚鼈的肉,剝下黿鼉的鱗片來,把去織成光耀的華衣,穿着起來,我們便在海中復活了.

使我們為海的一滴也好,使我們為浪的全身也可.偉大呵!我們是海之王了!我們笑逐着鼓盪.偉大呵!海的生活呵!這般的熱烈與淡泊。我們抱着海,一聲怒吼,一切便都震慄了;這偉大的情與力呵!牠是宇宙唯一的驕子!

人間將從此恐懼我們的力, 但也許重新感到我們的情。偉大呵,情!我們將努力把這個大千世界舉起來,給他穿上了新衣。

新的世上,唳吟是生活。超人是生活者。超人不嗜殺人,他歡喜把自己的身子弄得純潔。

一男一女,一夫一妻的攜着手。他們歡喜居住在深的山裏,曠闊的野中,幽靜的海濱,各自努力地與海天化,與偉大化。

海潮錚錚地在響着。海邊的大樹上的葉子,沙沙飄下來,飛向海中去了.

我的愛!誰豔羨這樣空虛的美,而破壞了他們老古的囚牢,歸來呢?

孤獨

‘你爲了什麼躑躅着呢?’

‘我因爲找我底伴侶.’

“你底侶伴,曾經失却了麼?’

‘不是,敎士!——我未曾失却過侶伴.

——而且我以爲假如我已經找到侶伴.

是永不會再失掉的;

我正要開始找尋一個侶伴.’

‘這是一樣的不幸呵:

你底伴侶會中途失掉,

正如你永遠找不到伴侶.’

不然敎士!

一座美麗蔚茂的森林

任是那個禽鳥,

都自信這裏悠揚着,

他未曾相識的侶伴底鳴聲!'

'那麼,少年,這是個至理:誰都喚不醒善睡的人——你忍着再走一躺去罷!'

於是森林中發見了

急切而沉重的馬蹄聲。

'少年!請你脫你底帽,致敬我——爲什麼你又來到我底門前?'

'呵!教士!我並未曾走遍森林,

我底馬先疲乏了;

請你讓我再作一次最後的訪問!'

少年策馬去了;黑暗包圍了大地。在第二次歸來的馬蹄聲,嗒叭地紛碎在教士底門前時緊接着聽到:

'失敗的少年,請你脫帽向我吧!'

少年不語,垂着喪氣的臉;馬喘息着,繫在他的身邊。

接着教士又問:

'你曾見有年青的姑娘們,站立在她們的門前?'

‘是的，她們都站立在她們底門前；好像也正在凝思着，

要找到一件最可愛的寶貝。’

‘可是你也曾見這裏少年男子的裝束麽？’

‘是，我見到他們每個人的右鬢上，各插着一朵野花；

他們還愛着闊袖掩襟的長衣在晚風裏飄揚着。’

‘他們有幾個穿短便的衣裝，騎在馬上？’

‘唉！不！不！我並沒見到一匹馬；在這所龐大的森林裏。

但是，教士，我知道我底失敗了！’

‘那麽，請你告訴我你底經過！’

‘我有什麽可怕的威儀呢？——當我躍馬跑過她們底門前時，在她們底眼裏，

彷彿看我是一隻瘋癲的野豬；至輕些也是個兇殘的獵夫！’

‘阿！是阿！………………’

‘這是你所知道的，

我爲着找尋侶伴,

我底心由跳動而快破碎了.

當我經過她們底門前時,

我加力策着我的馬;

我在馬上微笑着,

想招徠她們底同情的笑.

但她們兩隻精光的眼窩裏,

終於飽含着是驚恐和蔑視.

我一次叱了一聲我底馬,

她們便都倒退在門裏了!'

'爲了這些緣故,

你便不待找得侶伴而歸來嗎?'

'是,教士!——侶伴——侶伴——

我知道我底失敗了!

我須受你底教訓,

去咀嚼孤獨底滋味!'

少年底馬,仍然你在教士底門前, 有時發出嘶嘶的困叫.他 兩個的談話,重新轉移在敎士底屋子裏.

'你想聽一個關於這所森林的故事麼? 這個使你了解你底失敗.'

'請你說!'

'這裏曾作過一次戰場,
許多的少年騎士,
都埋藏在森林底脚底.'

'爲什麼你們戰爭呢?'

'這許是番「老」與「少」戰爭:
當這般少年底威力,
震動了這所森林時,
老人們都避入城中去了;
終於得着皇帝的幫助,
帶來精練的軍隊,
把他們!少年!盡數坑在
森林底脚底!'

'呵!敎士!這個至少留給
這裏一點悲壯的遺風!'

'不!不!這完全不…………

因爲這所森林中的

聰明的後來人,

完全了解「勇武」是罪惡了;

他們立了禁約:——彷彿要努力在一種新的享樂上!青年的姑娘和男子,

都要因爲不滿意於任何種"反抗,"

以至於不肯往弔古的騎士;

永不讓在一個談話中,

見到崇拜騎士者底剛愎的愉色:

並且在任何日底晚風裏,

老一般的人們,

都禁止青年人對古騎士發了歎息。

青年人因爲,

鄙夷當年騎士剛勁短便的裝束,

直至於改着了長衣;

擲掉手中的馬鞭,

取一朵溫柔花插在右邊的鬢際。

結婚的一夕,

皇帝頒賜彩花;

他和她又各插一朵在左邊的鬢際.——

這個你知道更有一番新的意義嗎?

他們誌這兩朵花說:

'右鬢愛之花 左鬢神之花.'

'阿,教士,那麼我底裝束,正不知那裏有點騎士的

惹人厭棄的色彩呢!'

一九二三、七、二七

墮落

“兩鬢間底亂髮如蓬呵，
任你與古寺長休了罷！
這樣名貴的葬身地，
插不得一朵愛情之花!?”
一所坍塌的古寺底暮色裏，
冲出一個少年人這樣
驕傲而悲涼的歎息。
這歎息飄泊着，
散在寺旁的古樹上，
於是善睡的樹葉
都很同情地隨和着發出洒洒的哀聲。

他曾躺在闊綽而朴實的大庭中——
這是幾年前的舊夢呵：

他底父親拿着一把麥苗，

向他諄諄地教誨着——

他再沒有反抗慈父的勇力，

從他有生直至於今日；

然而現在他猛然想見：

'服從是個煩惱的夢了'

他便微瞪着他底兩縫白眼說：

"父親!這不是個問題喲!"

"孩兒，

你且喝這碗綠豆湯，

這許不是你底花盆裏種得來呵!，"

"這不是個問題喲!父親!"

各個富豪的

鄰家底庭院，

不時發見這少年底足跡.

玫瑰,芍藥,……四時的花，

差不多按時每一枝上失掉一朵.

於是不約而同的這些鄰家同知是被這少年痴愚

的竊去了.

年老的父親,

因爲他底孩子僻意愛花,

由哀憐而轉爲怒恨了;

最後發出一張逐子文罵道:

"………這是上帝的懲罰,

使我有這愛花不愛穀的兒子;

這是我的威權與義務,

使我不得終養這敗子!………."

於是這個農村中,

立刻失却少年的站足地——

因爲這是個重視生活

質朴而敦厚的農村呵!

村人都張起一副粗厲可怕的面孔,

預備給少年看——

這在他父親發出逐子文後，

已經成了鄰舍間

普遍的親善的表示——

然而少年竟一無所睬的徜徉着出村去了！

一村知有這麽個敗子，

遠近知有這麽個敗子；

他底父親常借端怒駡；

他底母親總是暗泣着。

古寺中發出第一次歎息，

驚動了滿山花木：

有的悲傷，

有的啼泣，

於是少年飽含着他未盡的高價的歎息，

走出寺門；

他手把古柏高松，

放眼在滿山的紅紫中；

他也悲傷，

他也啼泣；

最後又狠狠地歎息道：

'來了！我底侶伴們！

這次讓你們盡跳上我蓬髮的兩鬢？

他於是散步山中，

採了些好的豔濃的花朵，

錯絡着滿頭歸去。

又是幾次採得的花朵，

都枯萎在他蓬髮的兩鬢間。

他帶着焦灼而愁悶的臉，

仍然走到山中.

這是他想不到的失意，

祗見：

滿山簇簇擁擁的花朵，

都顯出異常煩惱之容；

憤怒與激噴，

——98——

眞成了花的通性!

'他不禁大駭而至於唏哭道:

什麼隔膜在你我的當中?'

但他雖然懇切地剖白了幾次,

仍然打不散花愁山悶!

寺中的悶睡不知幾多時了!

疲倦回復了少年底夢想.

當他敢於硬着臉皮

向一枝芍藥耽耽地視着,

他似乎麻亂神經中,

抖出這樣的回憶:

"當日在富室底庭院裏,

你們何曾不笑吟吟地牽我的手?

今日的古寺,

不貴重於庭院…………

富貴而淫,……

貧賤而移!……

朋友!舊的朋友呵!”
他聽到神經裏跳動着,
‘舊’的一字,
他似醉如癡地咀嚼着,
於是又歸去了!

這裏不知少年的性情變怎樣了
失却最後的希望時,
他許是時常靜坐着;
他不很愛出寺外,
有時足一臨門便悔恨歸去.
荏苒光陰裏,
這個古寺中,
有了他底詩集,
一曲墓石,
一曲鬼歌.

寂寞埋沒了古寺,

—95—

靜恬喚醒了少年.

他醮筆開始在寺牆上題了一字——'勇'——

於是最後一次輿輿頭頭的出門去了!

熱鬧裏他瞥眼看見這一座春山;

嬌柔花朵,

幼嫩花香.

'這的確是我底故人啊!'

然而他每走到一朵花前,

便覺有劇毒的驕傲之刺,

直向他底兩鬢間戳來.

他羞恨以至於哭泣;

他終至絕望在每個美麗的花前哀求作侶伴之夢了!

在這次他底歸途中,

有這樣不絕的詈罵;

'下流種子!

儘讓人把你們栽在花盆裏去了!'

名貴的花中:芍藥,玫瑰…………

從此便都長別了她們的討厭的故人了!

他雖然沒有這麼說:
‘怨毒是應該相酬應的!’
但他却很坦白的想道:
‘名貴是皇帝底所有.’
有幾次他板着嬉笑的臉,
偎向那些醜惡的花——
他簡直 想到他 是唯一 的了解 於醜惡的神聖者
了!
但當他幾於拿口吻在
這些花朵底濃色裏時,
他忽然會被一種舊的失敗底回憶,
狠命禁止住!
他更有時憎惡名貴的虛僞,
開始作偭似的拿:
草兒作骨,
土兒作肉,

墨兒作色，

裝就一切美麗的花朵。

當他欣愉地對這種花朵輸出調笑時

他忽然又會被舊的痛苦禁止了!——

這便使他煩悶無已呵!

古寺中重疊了他底回憶，

少年的頭上，

竟添出幾莖白髮'

'父親呵!……

一把麥苗——

這到底不是個問題啊!……，

'……………………………

……………………………

鄰家的花怎樣了!

失却的花……是呵!

———別勞觸呵!

別勞觸了!………

送還你們底死的花!

在這裏,

在我底兩鬢裏.'

這所坍塌的古寺中,

暮色裏冲出一個少年這樣

悲涼而飋敖的歎息:

'兩鬢間底亂髮如蓬呵,

任你與古寺長休了罷!

這樣名貴的葬身地,

插不得一朶愛情之花!?'

這歎息飄泊着,

散在寺旁的古樹上;

於是善歷的樹葉,

都很同情地隨和着發出洒洒的哀聲

在萬光陰裏,

山鳥唱出這少年的詩歌;

一曲墓石,

——99——

一曲鬼歌.

一村不知有這麼個詩人，
遠近不知有這麼個詩人；
他底父親還未忘怒罵；
他底母親總是暗泣着.

一九二三，九·十二.

不朽的我心

一

我的念五載的年光如夢，但只見憂苦的瘦容上增多了皺紋.這一條條似暮天之涯的霞光的年輪，窖藏盡我有生之痛.——固然，我很悲憫我已逝的不幸的際遇,我却更自憐我的青春將於此告罄!

怎可使東方之日停足,讓我迴步已往的前塵：俯拾我胼胝的脚下的舊跡,償以痛哭狂吟?這裏有我妙齡的情女,繚繞的幽魂!這裏有我的溫柔的稚淚,潔瑩的晶晶!破碎如片片殘秋的落葉，我的初受到賢哲經世的教訓;還有那堆堆銹毀的枷鎖，自我私逃的不法的手脚下擺脫的處所,猶可辨認；少年時鄉友黨師的哂笑與憨怒，躍躍我目中欲動.——這團團不盡的陰影,逗上我心,我俯仰已往,我不禁痛哭失聲!我個不法

——101——

之徒猶自奄奄偷生，而時光已驅迫我的青春進入荒坟！

二

哎！我的青春！白雲深處是你的孤塚。我想發覺你的熱骨，伏枕成夢；濃熱地迫切地喚出你的同情，爲我招來少年之魂！我今雖尚偷然生存，我實如秋霜冬風，祇存留嚴寒與呼呼的哀聲！我已不能再博得任何婦女的同情；因爲我現在所奉法的松柏的不撓的苦節，遠不豔若我少年時桃李之容！

我請橫心罷，已往的青春，我拜跪你，請你更自給我以永住的前程，我借之放肆於美婦人之羣。我極歌命運之曲，狂舞戰士之身；痛哭之下，再繼荒縱——最終啊，已往的青春！我誓要迸睜我的怒目，向伊等卑汚的女性；我拷訊伊等，問伊等的肉體，是否魔魅座下的祭禮？是否屠舍架上的賣品？爲什麼壯士嘗不得愛情之欒？爲什麼鍾情得不來相等的回贈？當伊們閉口而戰慄在我的權威下時，我一刀一個除絕這般賤根！

——102——

已往的青春,於此離我遠去罷,永葬白雲之深層!
我將更有不死的青春萌生,來自古柏蒼松之林!

三

哎!不朽的我心!我而今才不怕我的頭上,長出驪驂白髮,如果你永在這般健壯,嫩新。我固然很賞贊少年的如花之容,但我雖這般衰耗,我不覺得我的美麗,減色於我的已往的青春!雖使我攬鏡自窺,我的心阿,我不識羞痛;無知中你的溫柔紅豔的光華,定能自心脾中暈上我的臉頰,侵略了衰老的貯存!我的憂患的皺皮:雖在表示其易老,但我不識羞,我終在青春的懷抱裏濃睡未醒!我遇到少好的姑娘,誠不免驚其妙齡;但方伊倚在道德的拘留所的門畔巧笑作賣時,我則忽然如覩死屍幽靈!——我的確知道這容顏的美麗,收藏在心的深宮;只此深宮的四壁春水環繞,我們的少年便覺無盡,永存!

我的心,不朽的我的心喲:我得到一位尊師,如彼拜倫:三十六載的生涯之海的波濤,時在沸騰.距今一

——103——

百載,他的孤塚或已被石壓河吞;但自我的眼中常見到他灑脫的丰姿與微跛之足印永存.我不曾死,我的心更何自朽:我的青春永在,我何憂情侶的尋求.我不識羞,誇言永遠在妙如處女之真;堪憐此世憒憒;朽骨之壙裏,何處見得個生人!

七,六,一九二四。

武裝了我們的理想罷！

這深鎖嚴扃的凡宇!
這腐尸朽骸的庸生!
當前祇呈獻屈辱,憤怒,腥膻與沉淪,
我不當再復空白地憑弔古之英雄!

我的枕畔冰成冷夢,
不可追尋喲——愛人的香踪!
飢荒的兇濤,衝散鴛鴦淸游,
嗚 我應該詛咒此金鏤的臭腥!

我的友人!你被放的囚鮫喲,
更須聽得海浪裏有長鯨單在搏騰!
你被傷的困鳳喲,
更須聽得山頭上有孤凰單在幽鳴!

——105——

請!請!請攀登上幻夢的高塔,

俯飲此脊下空空!

讓胸腹飽張如天廷之鼓,

自烈風扇擊下琴瑟擣鳴!

請!請!請徒手撲入戰場,

搏一個肉飛血紅!

再莫讓仇敵狂歡——竊喜,

對我們冷笑猙猙!

奪回我們幸福的都城,

奪回我們自由的疆土!

奪回我們固有的一切,

唱凱歌歸來故國!

這深鎖殿扃的凡宇!

這腐尸朽骸的庸生!

——106——

當前祇呈獻屈辱,憤怒,腥膻與沉淪,

我不當再復空白地憑弔古之英雄!

八，二五。

荆棘底祕言

我在每個秋風颯颯的深夜，
　都聽到一種祕言
從暗陬裏攢簇着的荆棘中發出.
　牠們彷彿得意這麽說:

「我們用鋒利的刺底威權，
包圍了這個猜忌殘賊的世界;
再不曾發見一次火災,
像我們遠祖所遭際的不幸呵!
我們勝利的歷史,
從人類移植我們遠祖
　到他們底家園時,
便蓬蓬勃勃地
　一直傳到現在了!

在極長期的遠古中,
我們創業的先人,
曾被擯棄在
　杳無人煙的曠野;
上帝不時洩出殘殺之火,
燎燒過無限的時間。
我們不幸的遠祖啊!
他們號呼掙扎在瀰漫的煙焰裏,
終於焦灼以至於倒了!

這件事是我們歷史上的起點:
當年一個幼稚的遠祖,
在未被這次火災時,
托着樵夫的福蔭,
滋榮在富貴人的家園裏。
在這所軒敞的家園中,
經過一個極短的時期:

—109—

便見荊棘枝杈着
披離在四圍的牆際；
正如一個很智巧的匠人，
用他十二分的技術，
造成的美觀的籓籬。

主人一次走進這所家園，
接着發見了這件奇異的事：
他微微地折疊起額上底皺紋，
表現出欣喜的意趣。
這在他未必不作如是想呵：
一條堅韌的籓籬，
給我保護了園中的寶藏，
監視了野獸和强盜底覬覦，
然而我們這般孑遺似的遠祖，
雖然也曾在飄風經過裏，
對主人發出歡呼，
但那也許正是一種復仇底口號哩！

主人愛這條籓籬，

正如愛他底寶藏。

每個清爽的日夕，

他都散步在這裏：

漫用他優柔而深刻的眼光，

從枝杈的荊棘圍中，

瞅些太陽底殘景，

挹些晚風底清意。

這的確是主人一件最刺心的事：

主人底幾個相好的朋友，

曾用過幾次強迫的要求，

得到參觀這條籓籬權利。

當他們雙足踏進園門時，

只聽見一陣噪嚷道：

「寶貝！寶貝！——希奇的寶貝！」

他們彷彿立刻找見一個

——111——

　更有利的僕人，
砰然發出歡喜
　而至於忭舞的笑；
於是更發狂的
　對主人提出要求說：
「至友！親愛的至友！
雖然那是你的赤金的杯，
如果我們交誼是金石的，
——難相扶而急相救的——
知道你從來不吝割捨：
讓我們——
讓我們移植幾把荊棘
　到我們底家園裏？」

慳吝而巧詐的主人，
深知道藩籬是不容借假的；
他似乎很愁悶的對他的朋友說：
「荊棘滿身是鋒利的刺，

別被刺傷了你們的手，

爲了這些小事…………」

於是衆朋友同聲央告道：

「我們愛牠多長着刺，

正如我們愛我們底庫室裏，

多藏着寶玉！

這是個精悍而忠實的僕人呵，

勝得我們高壁峻牆！」

遍門遍戶底家園裏，

都有了一條荆棘作成的堅勁的籓籬了。

這距我們遠祖不幸的遭際——

第一次火災——時，

不過仍是個極短的時期啊！

夜闌人靜的深夜，

我們子遺的遠祖，

同聲唱出勝利的歌子。

——113——

這在我們全部歷史中，

要算偉大之創業，

明智之預言.——

這便是一代一代傳給我們底

　最古的「紀念歌」喲！

我們唱——

我們不絕地唱罷：

「滿飲着死亡的苦酒，

　含怨偷竄到人類底家園.

上帝仇我們底「毒狠」，

我們仇上帝底「慈悲」.

「人類呵！

你們慣會宰割你們的朋友，

請我們做了籓籬；

我們監禁了你們底朋友，

並監禁你們自己.

「讓我們作忠實的僕人，
深夜裏守着你們底寶玉；
寶玉受了我們保護的時節，
我們變成勾搭强盜的標記
我們底面孔愈嚴厲些，
强盜的手段愈高妙些。
這並沒有什麽難懂呵，
你所有底金石的朋友，
便是强賊——
因爲你們不知道；
誰是你們底仇敵
誰頌祝一切猜忌掠奪！

「看呵！將來的世界，
一所一所强固的監獄底牆上
都要站滿了我們底子孫！
誰知他：

——115——

是牢鎖自己？

是防範仇敵？」

呵！遠祖啊！

造就這般偉壯勝利的歷史！

鋒利的刺，

深深地透入一切囚徒的心坎，

　但他們仍在贊賞

　　僕人的忠實哩！

然而我們記着

　　遠祖所遭際的不幸啊！

詛咒！來！詛咒！

詛咒火災永不復興在上帝的掌中！

詛咒火災永不復興在人類的心中！」

荊棘底祕言停止了，

我開始發見包圍我和我底一切鄰人的住所，

都是些龐大而殘酷的監獄；

每個可憐的强者，

正夢想着添植些荊棘，

籠羃在他們底牆上！

墓石

我在凄涼的山陬，
找着一所荒塚；
暗窖裏黝黑剝落的墓石，
剜着奇異的字跡：
一半是敘述鬼底歷史，
一半是寫着些鬼歌。

「遠在千萬年前，
她許是個秀曼的女郎。
她底溫柔的腦經，
和筍纖的手指，
曾描寫過她所愛見的：
玫瑰色的早晨，
和新雨後的太陽。

的確是她所有的世界，

祇這——

藍蔚的天色，

莊嚴的森林；

夾雜些翩翔的禽鳥，

繚繞的煦風。

「當詩神底長翅

開展斑爛的美麗

蹁躚着飛過她底門前時，

她微笑着膜拜了牠，

立刻回到她幽暗的寢室，

深沉地探尋宇宙的甜蜜去！

「在這廣漠的神祕之幕，

掛在她的眼前不下墜時，

她便成了偉大之贊美者了，

『這是不幸的事:

在她快樂底麻醉裏,

天空陟起了狂風,

接着迫來暴雨;

迅雷和風底咆哮,

振撼着她底手指.

『她停止歌詠,

緩步走出她的簷際.

「惡的神」正在毫無顧惜地蹂躪一切:

於是飛沙撲亂了她底黑髮,

污泥濺損了她底嬌面!…………

「摧殘」「妬忌」…………

努力包圍了這怯弱的女兒!

『在先秀曼的女郎,

現在是猙獰的醜鬼

沒有花;沒有早晨;沒有太陽,
她墮落在這個邃深的地窖裏。
祇這一塊默然不語的墓石啊,
是她悲哀的遺誌!

「她夢想着贊美着的
生命底無限——
現在換來的是笑詈;
還有那腥膻和枯滅,
充滿在荒塚裏!

「然而我曾聽見她一種
孤寂無聲的死的歌子,
深藏着痛苦的意義:
她歌道:
「…………生前啊:
未曾吶一聲喊…………
總一回眉…………

日日熱望着的美愛,…………
葬送在怯弱二字裏.
今日是骷髏長不得黑髮,
遺骸生不得柔脂!

「仇敵包圍在我的甘甜的夢裏;
勇敢與憤恨跳動在我的墓裏

「在幽閉的光裏
我重新認識了詩神的翅.
他底斑爛的翅底,
隱藏着未痊愈的傷痕;
創痛的血珠,
是一切美麗和快樂的甘露:」」

我讀竟這段碣文,
吹出悲哀和同情的噓唏.
頌祝她生前的情弱,

再不留一絲於人世.

我且把起這小小墓石,

帶牠歸去,

磨光牠殘缺的字跡.

預備鐫作我將來的墓誌.

聲的歷史

誠然,歌唱於他們太下作了,太奴婢了,不僅是無聊.娼妓擁在强暴者的懷中,咬吱唔唔一大陣,於是激起灰色的笑樂.音樂的神,躲避在牆角裏,掩着鼻孔痛恨.然而妓女終被拋棄了,她冷冷清清,度那淒涼的長夜.於是歌唱在她不復需要.

或者他們較强於娼妓罷?歌唱不需要了,經過相當的長的時間.他們不至如娼妓剛度過「淒涼的夜,」接着就又在夜中開唱.

歌聲在他們總算止歇了!

進一步,他們才學會哭——春水呀,秋雨呀;他們哭出整個的神祕,美的結晶.他們取以爲至寶了:透明的淚珠,不猶夫少女的心靈嗎?把持著這個,無抵抗地可以戰勝一切,一切壓迫的暗襲.

於是「春的時代」來了:他們都帶上婦女的面具,

掩面而哭．一種莫名其妙的柔情，宛轉於他們的喉下．好像這個世界上的人，都曾經是他們的情人；他們興高采烈，直哭得涕淚交流，想從這兒恢復他們的愛與自由．

然而「同情」的骨頭，的確早已腐朽了！幾顆淚粒，哭不活牠，婦女們還百般淫巧，男人却祇假以一笑．「婦女之哭」的價格，等於「男人之笑」．他們不會飲恨在心！他們實在太婦女了！秀曼的哭，終於引起人家的不理，好笑．

單調與失望，收回他們的淚，於是哭的時期過去了．

更進一步，他們便學會罵——他們不復似從前的頹唐，盡力提高嗓子，對著仇敵叫罵．在他們以爲這是改良的新政策，仇敵終會被他們罵死．他們好像說：「我們的嘴裏有毒螫，我們的罵是『死聲』———聽到我們的罵，就會立地倒的．」

世界於是陡然失了和平，詈罵與毀謗佔領了一切．市井上的少年給他們作了先覺．他們懶洋洋地躺在室內的牀頭,好像市井少年歪坐在舖台上，對著街心目中無物地橫罵.

然而他們的氣憤平息了，大概因爲罵的太暢快了的緣故.他們實在不是一支蛇,嘴裏會有毒液;並且還不是一位未來的更偉大的科學家,會於死光之外.更發明所謂「死聲」.於是他們睡得十分甜熟，灰敗的死滅之光,展映於他們的臉龐上.

「罵的不疼,打的流膿」。他們實在又太孩子氣了!

仇敵對他們這樣說時:「孩子們,不要頑皮了，來吃這兒的果餅吧!」於是便有幾個,咕都着嘴走到那邊去接受.——他們是仇敵的喜怒不常的孩子喲!

新的政策失敗了,幾個在他們之中,號稱志士的,便轉頭來撇過叫罵,學會最時調的吶喊.這簡直好像革命黨鑒於社會政策之懦弱無用,更進一步，而趨於洪水猛獸的社會主義的運動了.

喊的威權,眞個比罵的威權大些.因爲罵是一己的戰聲,喊便要糾衆作亂了.

——124——

在這兒他們相攜着走到英雄的路上了。並且他們得到不少的同志。沿着他們慷慨激昂的喊聲，連合成一條很長的戰線。他們對於過去，極力的懺悔，斥爲「奴婢時代」他們將拿強有力的新的武器，喊的威脅，包圍了仇敵，追仇敵投降。

喊聲雷鳴價響着，正像戲台的殺伐的鼓音，轟天動地了一大陣，結果，是祇有一回空場面，並不看到流血。然而在他們這已足取以自豪，也正像戲角們的表演終了如釋重負的愉快。

吶喊原是站在圈外者的勾當！他們披著勇士的氅衣，搖旗擂鼓，這已夠十分血氣！「他們知道仇敵會被嚇死麼」？這雖不易揣摩，但看他們得意地在做作，或者會收風聲鶴唳草木皆兵之效！

然而仇敵早覺察了他們的伎倆了；呆笨的驢！唯一的強大的喊聲！於是打點著轡韁，預備拉他們到槽頭去，受些鞭策的親善。

戰綫外站着吶喊幾聲，一則漂亮而可傳聞，二則也好逃走。因爲他們眼裏所見到的戰場，狹窄的像一

——127——

道小溝.但是仇敵却比他們聰明了許多: 借他們的喊聲,找得他們,網羅滿布着,終竟把他們背著雙手,加了束縛.

「聲音的運動」完全失敗了!

一切聲音,都是「虛」的兒女,「弱」的衣裳!

歌聲,娼妓的;哭聲,婦女的;罵聲,孩子的;喊聲,英雄的.一切都失敗了!

「聲音的運動」完全失敗了!請閉口吞聲,勿再一響!

請勿歌!——勿歌頌你的死亡!

請勿哭!——將你的憤恨飲泣在心!

請勿罵——你有赤拳可當撲打!

請勿喊——你須要暗襲!

請勿再取那虛弱的聲音,易以你的生命與腦與手足!一部聲的歷史,完全是無用的虛文!

一九二五,五,一八。

血的言語

待我們這般叛徒,給你們爭奪,代替你們死,你們祇坐着,待着,享受——奴隸我們,大衆!

我們是播弄地震的火山!我們的口是海,吞食一切的人——離開我們,大衆!

真的!地球要變成一片赤野,我們與火交流着,一切便幸樂了.——詛咒我們,大衆!

地球腐敗了,一百立方呎中有九九呎被了菌災;一個菌,一分鐘蕃殖十萬八千個同樣的驕子!——勿信我們,大衆!

打你一個耳刮子,惱嗎?其實便割下你的頭來,又值什麽?你的頭顱,實在太成熟了!——承認我們,大衆!

咕咕囔囔和平的鴿子!讓我給你「打食」,你只待着吃.——然而你不必再歌唱了——期待我們,大

来

一九二五，五，一八。

老人生涯

我的院子裏，寄養着一個老翁，看他現在那短勁的身材，可想到他曾過一個精幹有為的少年時代。他每常靜坐在屋簷下，陽光逼射着他，打着睡兒，理他少年的夢。

一次，我曾經偷走到他的跟前，馴和地大聲問他道：「萬壽多少了，老爺？」他被我喝醒了，搭翻起眼皮，顫巍巍地帶出一副衰減的面貌笑道：「八十三。」此外便再不言語了。

他老了，真個老了。他不喜歡多說話。聽說我的居停主婦，是他的生女。合院子裏無論老幼內外，都稱他做「老爺。」這大概是一種敬老的表示。

主婦談起她老父的歷史，時常呵出惋惜的歎喟：「不是我，老人家早就死了！」她沉着的演說，「義和拳弄起亂子，他老人家被人拉攏地入了夥。那時，我剛

——131——

過門,不過十六七歲——不多時候,義和拳敗了,官家嚷的捉人,他跑在我家裏,我隱藏他夠十個月,才算了事.——而今他老人家活到八十三歲了!………… 」

這一段簡括的失敗英雄史,得着主婦的傳說,便很有力地傳遍了我們院子.飯後閒暇,婦孺們都拿着牠,絮絮不已地復習,當作一個有趣的談助.

在每一整個的日子裏,老翁都無事可做.淸晨起來,他祇是在他女兒手下,領幾個錢,出到門前買一回菜.主婦惟恐他勞頓了,會生疾病,所以禁止他囉唣一切.但近來他却新加了一條事業,便是對於狗的搗亂.

老翁的耳朵聾了一雙,萬籟於他都很寂寞。惟是狗的叫喚,却使他大不耐煩.正在這二三月之交,狗的交尾期到了;爲了我院子裏有隻牝狗,我們門上,時常有成羣的牡狗,咚咚地拿頭撞門,噪叫.老翁被這類事激怒了,手中常拿着一根木杖.

狗鬧的過於厲害了:我們的大門,被牠們撞的聲響不絕.謹愼的主婦,時常疑有來客叫門,於是老翁怒

——132——

不可遏地要想一個法子對付.

大門開了,這是老翁的計策.狗子成羣地亂跑在院內.他於是偷閉上門,手持着木杖,。着狗子亂打.打的高興了,的確好像在拳匪時代,殺洋鬼子一樣,毫不容情,直打得狗子吱吱唔唔的大叫起來,主婦說了話,他才住手

狗子不敢進院了,然而門扇上仍然有零碎的撞突的聲響.這大概是性的權力吧:以生命狗性,狗子還比人類頑强.不做美的是這老頭子,他竟作了狗的仇敵!

我起早了一個清晨,發見那老頭子手持着木杖,靜默地站在門上.我明白了,他大概和狗子還未和解呢.距他十數步遠的路旁,左右各蹲着兩三隻狗;倖倖的雙眼,怒視着他.他迷朧着眼皮,老態盈盈,並不答理.狗子沒法,終於恨恨地走去了.

因為狗子,許多的早上,老頭子都站在門上.清朗的早晨,樹頭上已有不少的鳥雀在呼.太陽照過他的臉,便變成衰老的光.但看他的心地,却非常平靜,除了對付狗子外,一切都不理會.似乎連他頭頂着那

樹上的鳥的叫鳴，也全未聽着。阿！他光榮的歷史過去了！他作了守門的人，狗的對頭！………

老翁的十三歲的外孫，原是我們學校裏的一個學生。那天，我攜着他的手，詢問着老翁的其他故事，一步一步走向學校去。嘿！狗子眞多！狗子眞多！三五成羣；五七合夥地橫塞了道途。幾對青年男女，佚樂地談着天，輕浮的脚步，飛揚在狗的中間。我忽地似乎冷酷了：我見到在交尾時代凑熱鬧的青年，比狗子祇多穿插着一副闊綽的外衣而直立！

我於是漫問我的小學生道——

「你的老爺，怎那樣惡打狗子呢？」

「他老的脾氣壞了——我媽媽說。」他帶笑地回答了我。

眞個，他老的脾氣壞了！——這老頭子，現在還該在門上站着咧！我想。

學校的鈴聲響了。我校的隔壁，是一座N大學。我走到教室的門口，便常聽到一般大學生們的宴樂的笑罵。但是今日眞大晦氣了。我因爲研究了一番狗的故事，不耐煩地正像我家的老頭子。而大學生們却過於縱樂了羣奏着打牙牌的調子，夾雜些穢褻的混嚷混打，聒得我和小學生連話都不能說了。我恨我不是英雄，竟不如一個老頭子！假如我長進些，有那老頭子末日的餘勇，何處找不得一根木杖呢？…………狗子眞多，狗子眞多！我家的門扇，想又在被牠們咚咚地撞突了！…………

於是我銘心刻骨地佩服我那老頭子！遑論他光榮的歷史，革命的往事，便是這根木杖，也足令我們汗下！

老翁終於病了。不知他是因爲了老，還是狗子鬧翻了他，但病却不十分厲害。兩三日不見到出門上了，祇聽着那院子內一角西房裏，不絕的發出哼哼的呻吟！

主婦爲了他的病，焦愁的了不得。每夜的燈光，都一直點到天明。我因爲他的呻吟，在夜中更厲害，也曾失眠過兩三次。同時我院子裏那隻牝狗，不知爲什麼也病了,幾夜不聽到牠的吠聲。

悠悠的夢雨,打入我的睡眠。我驀地好似站立在一片僻野上。狗子成羣地包圍着一具熱屍,唬唬地爭食。我的眼光,不知怎樣,特別明銳的像兩顆流星,直射進狗的羣裏。那是英雄的老翁!那是英雄的老翁!鮮紅的血,點抹著他的裸體。狗子們怒冲冲地,每兩三個分隊吞齧着他的四肢和頭,猙獰地各向後方拉去。於是老翁如被了五車分裂的極刑似的,梟首異地了!……

血!血!血!……………血條條地噴射着。肉!肉!肉!…………肉斷片地狼籍著。英雄的身影不見了,祇有血肉的點滴亂片!

腥風飄舞着,我凝結做一塊血的立體。狂熱的血流,祇追向着內部的心臟湧去。狗子東奔西馳,爭吃着肉,嘶嘶的和著血飲,血泊裏乍時顯出狗的脚印。我終於憤炸了,血的立體一聲爆裂,發出極狂叫:

「瘋狗——」

隨着這一聲,我便消失了,祇有血向外面的推湧狗子嗚嗚地爭吠,一陣冷笑起於我的後面,還能朦昧地感覺着.

老翁的病體少愈之後,他便時常拉着褲襠,蹣跚地往毛廁裏跑.衰老的臉龐!更添了些黃瘦.那全愈的時期,還不知在何時呢!或者竟會由此致死,亦未可知…………但是狗子呢,却也並不像我夢中的兇狠,有何暗襲的報復舉動來到.總這算是老翁的積威所致罷!他已作下不朽的事業,可以瞑目就死了!

一九二五,六,七。

異床同夢

你掛起憂時的面具，懶散的憤激的躺在你的床上，你的眼睛朦朧了，你在幻想：那隔壁的另一張床上有一個不睡的勇者；他坐着或則立着，手中持着逼人的刀劍。「那是我的先驅！那是我的先驅！」你稱頌着，你歡喜着，於是你熟睡了。………

我掛起憂時的面具，懶散的憤激的躺在我的床，上，我的眼睛朦朧了，我在幻想：那隔壁的另一張床上，有一個不睡的勇者；他坐着或則立着，手中持着逼人的刀劍。「那是我的先驅！那是我的先驅！」我稱頌着，我歡喜着，於是我熟睡了。………

他和他也和你我同模同樣同樣地躺在各自的床上，幻想着稱頌着異床的勇者，而自己熟睡了。………

他和他仍和你我同模同樣同樣地躺在各自的床上，幻想着稱頌着異床的勇者，而自己熟睡了……

………

還有他和他 還有他和他。……都和你我同模而同樣。這叫做什麼!聰明善睡的人呀?這叫做黑酣的異床同夢!這叫做黑酣的異床同夢!

異的床作着同一的夢,異的衆抱着同一的心。鼾聲聯成睡國裏的戰的呼喊却敲不破一層隔壁使我們靜眼看見另一張床上的眞相,同一的熟睡的眞相。於是我們大衆都日日沈迷於這異床同一的夢。

於是「力」在一旁哭着,——他這個無依無靠的可憐蟲呀!他徬徨於每一個床的旁邊,每一個人都在作同一的夢,每一個人都待着異床的勇者的興起,來作他們的先驅,於是他們好像對「力」說:「我們不能容納你,我敬謝你的厚意」力走遍異個的床,都找不到一縫可輸入之地。於是牠悲哀了,牠哽咽着終於徬徨無所;牠憂傷憔悴將瘦死在床下了!…………

「敵」在一旁狂喜?呵呵地大笑,牠不避忌地高聲笑罵,牠知道我們夢正沈酣。牠先唾了我一臉,我雖然覺臊,但我忍受了,我希望你給我報仇。牠既而打了你

——183——

一拳,你雖然覺痛,但你忍受了,你希望我給你報仇。牠終於放任了,他和他,他和他,不絕地受到侮蔑與殺傷,但他們也忍受了,他們希望你我和別人給他們報仇。敵於是猖獗了,我們是平原,牠們是走馬,我們被踏在牠們的足下。

大家被踏在敵人的脚下,於是轉都更迫切希望別人了;夢更沈酣,而敵更猖狂;我們向臥床,「力」便哭着離開了,永不回來。於是我們長久踏在敵人的足下

哎!醒醒吧,睡熟的!復活吧,死了的!你自己的床外,沒有更勇的人;你自己的步前,沒有先走的人!你自己最有力,最能接受力,你自己便是勁敵的勁敵!……

且起來打破這異床同一的愚弱的夢,建設你自已!

創造者眼中惟有「我」!

超人的手,造出偉大無私的幸福!

成功

野馬變成家畜,這算是一步成功。我知道,朋友,你的草料,可以安然無慮了。你不煩東奔西馳,找尋果腹的所在;你祇俯首帖耳於你的主人夠了!

你的格言,總該是不會錯的:「什麼是勞力?」「什麼是報酬?」你計算的準確。比如你如果能在預定時間內,給你主人多磨出一斗麥子,大概也許會多吃到一,把黃小米罷。——然而你還須不在工作時哀喊,飢叫,以引動主人的怒。

就是這般,朋友,你不許哀喊,飢叫,以引動主人的怒;無論你在勞苦的磨房,與疲困的槽頭,如是,如是,你將得到第二步成功,你的主人,將錫你以嘉名——「安分的東西呀!」

你要腳踢那好叫喊的同類,教導牠們以沈默。每逢你的主人添草來到時,讓牠們爭咬奪食,你祇長拖着繮繩,遠遠地竚立.等到你的主人已經將鞭策徧加於們了;你便乘間脚踢牠們,教導牠們以沉默.你微微地嘶嘶,承順主人的顏色.如是你便得到「羣中之秀」的榮銜洋溢於主人的朋友間.

自然你是不能走進主人的臥室:一則有繮繩牽制,二則那是犯上.你等候着,有一種時機,適當你主人自外來時,你每回給以嘶嘶的慇懃.於是你的主人會爲你開笑了:「懂人意的東西呀!」你的嘴下,因此可以得到不時的賞賜.

你將肥胖的似一隻可殺的猪;你的三步成功了!

最後呢?一年?十年?百年之後?橫豎一旦你死了,這是多麽不幸的事!但也許是你最後的成功吧.你的主人,將哀憐的瑣細地計算着你的功勞:比如某一日,你給他多磨麥子若干,某一月若干,某一年若干,……他哀傷他死掉了這一隻馬,甚於你失盜了一份元寶.這樣你便成了他追念中的感傷物了.的確有個大大的土堆,突起在人跡罕到的亂塚之間.也許會有一碣紅沙石碑,寫出這樣的字:

「義馬之塚」

於是你是始於野蠻,而終於道義了?

這你豈不可以在墓堆中高歌你卓異的成功嗎?

一九二五,七,一〇

守門人的小史

我走過大街上．一大塊很乾白的馬道旁邊，許多荷槍的人，守着一個大門．馬道的淨潔，特別的很：嚇得我的脚步驀地悄然無聲了．我好似將要犯罪；我悚懼；但忽然又自傲．「這便是我的敵人嗎？」我自問着，「我將從這兒攻擊進去，而爲他們——守門的人所捉獲嗎？」

我想到「守門的人」這話，我失笑了．油油然他們一段矮小的歷史，起於我的腦際——

第一日是個戰鬥的時期．戰敗的一家，長胡髭的被打倒殺了，牙齒未全的被人擄去．

第二日孩子們被拘囚在暗室，斷絕了乳食，呱呱待死．

第三日戰勝者從暗室裏叫他們出來，分發些黑的麵包給他們吃．而且順勢告訴他們：「好孩子！別想念你們父母了。好好地耐着還有白的吃呢！」

第四日戰勝者便發出許多簡略的傳單，給小孩子念誦。而且又責成他們說：「這裏邊有眞理在，給我找出來！」誰知道這上邊寫的是什麼呢？不過他們起始是不願念誦，而終於受到鞭打，不敢不念誦了。

第五日孩子們便長大了：因爲他們已經很安然地忘記了父母，每日祇吃着麵包，讀着傳單，不再胡思胡慮了。

第六日這些可愛的孩子們，壯大的孩子們，居然從傳單上邊找出眞理來。

「天帝賜汝以生存，能生殺汝，汝須擁護天帝！

執權者替天行道，能生殺汝，汝須擁護執權者！」

第七日便是他們生活的創始日——他們的信仰底定了：傳單是眞理，執權者是眞理之父。「擁護眞理！我將爲眞理作守門的人！」他們堅決地如是說。

於是他們便如醉如狂地繼續執行着第七日的生

活，守着門首，永永不倦。

我想到此處，我失笑了．守門的人，的確以爲「門裏是眞理，」荷槍實彈地不肯讓我搶進去。

「眞理！眞理！你也假盜賊以面具了！」

我微微地發出歎息。

有不可當的羞辱的火焰，矗立吾前．牠爊爊然逼射着我使我發燒了。我便毒狠地駡道：「祖宗的首級，償還你們以黑的麵包，行嗎？取汝首級，給汝麵包，行嗎？………」

我怒着，我走過去了。但是那馬道旁邊，荷槍實彈者在謹嚴地執行着他們使命的守門的人，仍是揚頭挺胸，脾睨一切，彷彿並不理會我的唾駡，並且根本就不信他們曾有這麼一段小史似的。

於是我便不再掉頭地去了。

游惰的靈魂

阿阿!游惰的靈魂喲!你不見你的前途，在如一條腐魚般死滅地長臥着嗎?這腐魚將在你的觀望之下，變爲一條黑帶 一端繫於你的脚下，那一端止於不可見的玄冥.這告訴你以艱苦嗎?這告訴你以不可往嗎?阿阿!你以罪囚自待的人喲!你不待着死刑之來，乃徘徊於此關頭嗎?

游惰的魂!光明在你的心裏死亡了?於是黑暗在你的前途生長.你兩足跨着這生死的界畔，你停步了這尺寸之地，何以使你生擺呢?這尺寸之地，何以使你勾留着這樣長久呢?太陽來了又去,太陽來了又去.你的脚趦趄着，你的心徘徊着.終於告飢荒了，告昏盲了，你自暴自戕而橫行.………

那路旁的野花，爲什麽由繁華而枯萎，由枯萎而死滅，由死滅而葬身於黑黯之中，永久不再出現於你的眼前呢?……

你將另求一種充實,來滿足你的飢荒嗎?你的心在孤苦地堅持不住這歧途的戰爭,而告危急嗎?阿阿你敗北了!你將倒退了!自你的昏盲的眼中,發出可恥的懼怯。

游惰的魂吾將看汝求食於何地!

你倒退!那一邊有你的趣味夥友.棋盤一紙,黑白子兒斑駁着;蜂擁蝈擠的頭,貓勝鼠負的笑…… 你將!勾留於此,找求糧食嗎?

你倒退!那一邊有你忠實的情人.小鬼般眼睛、狐狸般賣笑,柔軟的床,醉人的被窩.……你將勾留於此找求糧食嗎

你倒退!那一邊有雄豪的辯士.破鑼般嘴蠢豕般話,賣皮肉的問題,奴隸競選的嘲駡.……你將勾留於此,找求糧食嗎?

你倒退!那一邊有怡情的風景.忍氣吞聲的水.樂天安命的草木,自大的蛙鳴,被踐踏的泥土.…………你將勾留於此,找求糧食嗎?

—148—

你倒退!那一邊有研究的書室.塵土堆中的破書,紙頁上存留些嗎哪呢喲,英,美,日,法的長臥的文字 這是文明的故里嗎?……你將勾留於此,找求糧食嗎?

游惰的靈魂,你倒退的旅行,發見些什麼呢?然而你終覺迴轉着,在這些你所認爲富足的小島上,來往着移動.你的腸胃,甘於樹皮,草根了!太陽來了又去,太陽來了又去,你從甲個小島,跑到乙個小島,丙個小島.………… 又從丙個小島跑囘甲個小島.——如是而不已.

但是,你可恥的人!你認爲可以安足的地方,你不當奮發勇力嗎?爲了甚麼,你亂跑着遑遑不安:不安於甲的島國,又不安於其餘呢?爲了什麼,你離開甲島?跑上乙島?跑開乙島,又走上丙島,若是其不憚奔波呢?跑些地方,仍不足你的找求嗎?——你又失敗了嗎?聽我!這我將告你以勇決.

你要如軍人一般勇決:衣袋內常裝滿藥火,手內常握著鋼鐵.取此以征服一切,實現那明晃晃地熠耀於眼前的帝王之夢.

你要如商人一般勇決:腰內常纒滿黃金,心內常打着計算.取此以剝蝕一切,實現那明晃晃地熠耀於眼前的財主之夢.

你要如妓女一般勇决:臉上常塗滿脂粉屋壁常掛些春畫.取此以招徠一切,實現那明晃晃地熠耀於眼前的花魁之夢.

你要如學士一般勇决:口中常咏着風月,筆下常寫些「美呀」「愛呀」.取此以忘却一切,實現那明晃晃地熠耀於眼前的天國之夢.

他們的勇决的精神,實足爲爾師:他們的夢滿足着,而有實現之日,不似你的遑遑不安喲!你虔誠地跪拜在他們的足下吧:

你不能如我的話嗎?你羞恥嗎?你可恥的怯懦的游惰者呀!在這些雜的路上,可揀得一個「勇决」.你自謂不愧對他們嗎?他們的目的,高懸而明白;他們進行在一直線上.

你不敢於走這些路途嗎?我的可憐人的游魂呀!

………那麽,莫徘徊了,在你的目前,那腐魚似的,黑帶似的前途在等着你.這是條空虛的路,所以空虛無人.然而你只可走這條的唯一的路了!………

你走去!再莫回頭,所有回頭的路,你都看到灰色了.你既不敢走其他的路,那麼你走上這唯一的空虛的路來!

脫却你的游惰的軀殼,新着勇决的肌肉!

所有路前的黑暗,將待你而衝散;

所有路旁的花朵,將爲你而重開!

一九二五,七,二四

沉默

你,你冷如鐵石了罷!勿聽聞一切破碎的聒譟,喧鬧.祇需要你手足的張舞,却勿再將嘴唇開啓了!

在長久的時間裏,你要閉上眼臉;等候着那風聲來臨罷——那是你仇敵的響箭.你一睜眼,便找到他的踪跡了.

那個剛毅,挺拔,沉毅的山!你認識了麼?他站立在牠的脚下,細聽那墜石,飛打在山下行人間的道途間,是何等沉重有力呢!

莫讓蚊蠅嚶嚀於你的耳旁,拿着一嘴一舌的勝利而誇張.——那些智巧的長遠的計劃,讓巧者浮沉於他們的嘴上罷!

你能沉默的像一條幽谷的黑水好了!孤獨地向前流你的去;一切報之以冷面.

固然夢是冷了,而且明日也不會再來.今日呢?且莫讓譟聒，喧闐侵佔了你。你沉默地擦磨你的手足！

一九二五，七，四。

病人與醫士

病人： 我病了!我的心在跳躍着。我病了!………

醫士： 噢!是的，可憐的人，你病了；因爲你的心在跳躍着，你便病了。………

病人： 病已不可治麼?神明的天使，我想用十分勇力，擠病魔逃出我的軀殼!

醫士：噢!我的朋友，我敬佩你的意志——但是你沒有這樣權力!

病人： 怎麼，神明的，我沒有這種權力麼?

醫士： 是的，我的朋友，你沒有這種權力，在你的跳躍的心裏………

病人： 爲了我的心在跳躍着，我便應常受病魔擷擾；爲了我的心在跳躍着，我便失却我的勇力麼?——

醫士： ——是的，可憐的人!……

病人: 噢!神明的!你有甚麽偉力,可以重新給安樂於我?

醫士: 我有的奇方異藥,但不能奉給於你。因爲你的心還在跳躍着。

病人: 我的心在跳躍着, 便使我不能承受奇方異藥?

醫士: 是,可憐的人!心兒在跳躍着,一切不可醫治的……

病人: 那麽, 神明的, 請你來醫我跳躍的心, 可以麽?

醫士: 我沒有那樣奇方,可以療治跳躍的心; 我僅有個誠實的忠告,請你履行! 你能使你的心退向安靜,你不擾攘於一切不平,病魔便告別於你了!

病人: 噢噢!醫士!這是「死的忠告」!

醫士: 甚麽!可憐的人?我爲着同情,我曾屢次目覩病人的厄運;而你便又將成爲一個厄運者, 被我再見了,如果你不履行我的忠告。

病人: 是的,醫士,我寧願「死如生」,不願「生如死」！

醫士：可憐的人，你的話太玄妙了！任何人不能在五尺穹穸中，誇示他的生存——

病人：着！許多人都正在無邊的死的人間，誇示他們的死亡！

醫士：你以爲我贈你的和平的忠言，不是出自善意的友情麼？

病人：這個你不負責任！

醫士：差了！可憐的朋友！我負着人類生命上的責任，勞悴了——我担負着至大的責任，我要教人類安生於和平之國！

病人：你催促人類歸向墳墓，你是死的宗教的宣教士與眞的信徒！你在生存的反面，擔負着至大的不移的責任——然而你不應該誇示生存！

醫士：我給人以憐憫的甜蜜的語句，我招人以和平的安樂的旗幟；我想登近他們於安息，拋却世間醜惡的掙扎的競馳。

病人：你懼人類以恫嚇的可怕的死的歌子，催促人類安眠於死之幔下——是的，你願拋却人間，歸向死滅！

醫士：不然。我所願意的：是造就活潑的人；壯健的人；能享受幸福的人；不與世爭鬻，以累其生存的人。

病人：着！你所造就的：是活潑的木偶！是壯健的石像！是咀嚼糟糠的犬豕牛羊！是山林廟寺裏，永久生存着的食人血肉的怪魔魍魎！

醫士：你的話太諷喻不當了！——我要的是活潑的生人。

病人：然而我所切實看見的，你是死的惡神；而我立刻已想到我是一架枯瘦的骨骼，如果我履行了你的敎訓。

醫士：你覺得你有死證嗎——

病人：是的，如果我履行了你的敎訓——

醫士：噢！朋友！我的感覺對你提出警告了：你是死亡當前，不知退步的人呵！…………

病人：是的：我想用我現在所餘的勇力，鞭我向你所謂「死的路」上去。

——157——

醫士：是呵！我信得過！

病人：我想用我現在所餘的勇力，鞭我向我所謂的「生的路」上去。

醫士：你原是個糊塗蟲呵！爲了你是已經吃醉了競爭之酒的人。

病人：你以爲我糊塗地分不清「生與死的界限」了麽？

醫士：自然你是最不懂生存的人！

病人：野馬奔馳着，爲了不甘羈縻的申斥，你以爲不是所謂生之義意麽？

醫士：正是！不管牠是被申斥着否—— 在我的目光裏，見到馬的長嘶，狂奔，正如拿快刀斬殺自己的生命。

病人：猿在檻中嗥哮着，鳥在籠中激鳴着……這些在你以爲不也是自殺的舉動麽？

醫士：正是！十分是！——他們都於昧生存的安息之義。

病人：那麽，奔馳，嗥哮，激鳴……與比不得安止與退步了!?

醫士: 唯唯.我想牠們由此而更進於安息——安步以行和鳴以歌,更要較好些.正如你現在須安心退步,求得生存之逍遙優逸一樣.

病人: 你的意思,是不是要稱頌每個老於受牢籠的東西——重載安驅的馬,重圍不怒的狠與鳥雀,爲得着生存最後意義——最切當的意義呢?

醫士: 這不僅爲了牠們主人,牠們應該如此;並且爲了生存的安息,牠們也應該如此.

病人: 然而我以爲假使馬有馬羣,狠有狠羣,鳥有鳥羣……牠們居守羣內的朋友,必然於這種現狀下喊道:」我們的一個被擄掠去了!失敗了!作了人家待斃的俘虜!」而且接着還要大聲罵道:「賤東西!沒氣節的東西!甯不會死?……」

醫士: 這是你的幻想!錯誤的揣測!不會有任何東西,以安息爲失敗的!

狠人: 自然不會.馬的社會,狠的社會,鳥的社會,於今都麻木了:牠們不會喊得更高些,敎你聽出——

— 159 —

而你正是人類社會裏的一隻圈中之馬,檻中之猿。早被麻木過來的;而你正是一隻安息的籠鳥,在一種威權下歌詠死的生存;而你所以聽不出一隻奔馳的馬,嗥吼的猿,爲鳴其生存之不安;爲鳴其生存之進取。

醫士: 你的話,似含有晦澀的嘲罵,你眞是道德的蠹蟲哟!

病人: 我呵!假使我有勇力,我當於一小時內,排擠這些充塞在全世界上的活的死人,到死之鄉去,到你們所謂永久安息之所去!

巷中

從朋友處坐了一會兒，並沒有說甚麼話，我走出來了。

天近黃昏，電燈遠遠地有幾顆，發着慵惰的光。我走入一條巷中．

相跟着的人，告訴我些得了懶病一類的話．他說的並不起勁，我不睬他．我們信步走去，他不說話的時候，我們便好像互相遺失了．

沉悶窒塞了全個巷曲．除我的脚步蹉躂之外，一切都在屏息．好像逃走似的，我是個敗兵，隱埋於此．

左右於我身傍的牆壁驀地顯明地拔立起來；陡削的樣子，使我如置身一條深邃的溝壑，我注目看牠．

我明白了：深峻的牆壁內，好像都埋伏着我的對手．我的心靈喊道：「你還沒有力量，打翻這些林立的壁壘嗎？」

我沒有回覆,我想哭了,哀泣在我的心底。髑髏的威力的矢,傲然指着我的心的弱處發射。

我開始重找見我的友人,仍然搭訕些游憎一類的話,走過巷的西口。

巷口的電燈加多些,但仍然懶散,發出天上微星似的弱光。光底下走着半灰半黑的頭腦,逐逐的東西亂竄。我沉在一種悲哀之中,躲避着找脚下的路。

在巷的盡頭,我見到一輛騾車。那騾的喘息,被仇敵似的重載將壓斷了。牠反抗,兩眼閃出哀和怒的光但她並沒有反抗過去,終於在鞭韃下扎掙着前去.

我不知怎樣,心坎上在把這個騾當成神靈的東西!

友人說話了,他似呼不耐我那岑寂煞煎的樣子,想逗我開開笑玩;但我仍沒有睬他。我們相遺失走出巷外。

我如穿山洞的人一般,出洞之後,才看見洞的黑的面孔。有一條巷的黑影如飛蛇似的盤旋我的腦際,向我的心挑戰。 一九二五,九,一五。

—162—

跳下床來

善睡者以爲除他們所安臥一張床外，舉世都無可立足之地;或者是痛苦,或者是白費,或者是虛無;包圍於他們的床外的世界,都毫無價值,不成其爲世界他們的世界,是一張床。

但是誰能說這個不是個太狹小的世界呢? 除了睡在床上的人,不客氣的敵人的砲火,也許專會爭瞄於此.你能說你在睡着,論理仇敵不該乘人之危嗎?

然而果能睡得着也好：只要砲火驚不了床上的夢,還兀自可以夢到種種優游的幸福.而且從那種種好夢中,還可以顯示出床外的世界,正是充滿了惡濤和狂風,搏殺和爭鬥…………一切人都在蠢蠢的取着蠻武的野獸的行徑,各向目的而進攻;爲他們的高雅所鄙視。

但是不幸而一旦一個觔斗,翻身落在床下的時候,那便眞要證實他們夢中的不安了!:人都在張牙舞爪地進攻着,而自己正眞是一塊肥肉!除被人吃掉之外,眞個舉世無立足之地。

一張床明白地是有限的方寸,那裏容得許多人鼾睡!他們自謂僥倖了:得臥身在此安樂之鄉,但是一待他們受足床上的豢養,他們的身體變肥胖了,床上容留不下他們,結果便一個翻身,倒在床下.呈獻出一具肥美的肉塊,,蠕動於强者的目前。

阿呀!朋友,你不希望跳下床來嗎?那是猪羊的圈地,專以收養肥軟的肉供人吃的!

阿呀,朋友,你不希望跳下床來嗎?床上的天,是紙幔的,你的夢繪畫在紙面上,一陣雷雨便震破了!

告訴你,朋友,你要脚踏着「實地」,勿踏在木頭床上:你的床,正是痛苦,白費和虛無三樣木料造成的.跳出床外,站立在實際的世界上去吧。

七,六○

城 頭

那半天中,落日剛挂到西山頂上,揉着要睡的眼,閃出蝶翅似的血紅光片.

我站立在城頭.

龐頑的頹廢憎恨的氣息,從那座巍然昂然矗立着不可逼視的破敗的城樓口中吐出。那氣息如蟒蛇似的,矯健的在空中盤延着,俯瞰着脚前的全個城市,想要吞食.

我酩醉着這種氣息,兀自站立着不動.城脚下靠近的寬大的空野,予我以鉅大的自由的呼吸.

晚風飄過城根下的水泊,起了急迫的踴躍.靠水邊一大片暗綠的夏田,吃吃地發叫,禾苗們都抱着頭兒拚命的相碰,磨試着鬥爭的勇敢.我兀自站立着不動.

三十步遠,我照見一隻大門.牠是木質的,而且快倒塌了.門裏隱約着陣陣混亂的熱鬧,好像爭奪着不知怎樣重要的情事.

自從那隻門後,一排一排黑壓壓的房屋,四面展散開去:由近而遠,由疏而密。混亂的吵聲 綿延着,激高着,噴出屋頂的空際 好像幾朵交戰的暗雲。那暗雲搏鬥着,詈罵着,和親着,評判着。…………嚷嚷地不肯休止!

「什麼?」我驚怒着自問.

「什麼?這全個城市中,包藏著些什麼?……

「不是一堆待斃的奴才們嗎?

「阿阿!將有人予你們攻擊.」我思想着,抬頭望着落日。

落日已完全隱去了.綠岸的城樓,穿載出沈厚的黑暗的衣冠,在我的眼前,樹起一種新的理想。在這種理想中.踞據着堅强的實力,一如那城樓的固結,我明白了、這城樓將取牠那頹廢憎恨的麗碩氣息,貽給於我.…………

「阿阿!他們曾算及一種抵禦攻擊的方策嗎?」我傲慢地自念着;重新轉頭看過眼前的城市.「他們在爭

鬥着，爭鬥在自己的城內，………」……昏暗一時籠罩上全個城市，模糊成一片了。只有炊煙如陰雲似的，漫散在昏暗裏，給昏暗加了濃厚。從這裏我依然看見這城市是個可攻擊的目標，因爲牠比別的空曠的黑處，格外黑暗。

種種的鬨聲與吵嚷，仍然從黑暗裏透出。我又在沈思了。

「吵鬧仍然不會已嗎？將死的奴才們？

「他姦了你的女人，沒有給你洋錢嗎？

「你暗地擠掉他的位置，而爲他察覺了嗎？

「你們得罪了你的長官，在憤恨於他的責罵嗎？

「你的債主，正對你侮辱嗎？

「你的家室，被仇人燒掉了嗎？

「他在擁着姬妾調笑嗎？你羨恨他們嗎？

「你的女兒，配給匪人了嗎？她在哭訴嗎？

「乞丐在街上討厭地向你要錢嗎？

「兵士在戲場裏打倒人了，你們在懼怕嗎？

「你們在無聊的請願嗎？你們在高聲叫號嗎？

——167——

「傳教者的言語,哄動了你們嗎?

「娼妓走在街上,你們圍着哄笑嗎?

「你們在念誦經典嗎?

「你們在分不妥贓物麼?

「你們在審判一個賊盜嗎?

「你們在建議修理道路,以便馬車電車的行走嗎?

「你們翻了臉嗎?

「你們在詭計中歡呼嗎?

「你們相罵嗎?

「你們相打嗎?

「你們相朋結嗎?

「你們鬼搗鬼嗎?

「誰是失敗的呢?

「誰是勝利的呢?

「…………………………………

「…………………………………

哈,哈,哈,好的奴才們!

哈,哈,哈,好的奴才們!

這個待斃的城市,這個待斃的城市。

是的!這些待斃的奴才們,决不會抬頭望見我站立的城頭!决不會望見我!他們的眼睛只向內看,而且黑暗罩在他們的頭上。

他們湧擠着;在一塊小似針尖的場面上。他們自謂站足得住。——他們能夢到抵禦攻擊的需要嗎?

我高興,我自由着。我的脚下,是一二片曠闊的空地。

「我可以施放攻擊了吧?我可以點着火線了吧?……」我憤怒而且急促的轉念,那黑暗已經四面愈加濃厚起來;特別是城市之上,隨着那不會止息的盲聾的爭吵之聲,集聚着一大片暗烏烏的黑團,顯示我以攻擊的目標。

城樓睜着又酷冷又烏黑的大眼,督促着我。晚風掠着我的亂髮。我從想像中埋了;一個鉅大的戰炮在城下的空地裏;炮口朝着混嚷嚷的城市。

我跳下城頭。

我想一聲炮響,這個熱鬧的城市,便會在我的遠

望之中,變成一大團塵土,攪着墨黑的天空而飛舞,立
地歸於烏有了!

一九二五,七,十二。

敗退之下

我假睡在室內的籐條躺椅之上。

一陣,兩陣,三陣,……… 以至陣陣的嗡嗡的蒼蠅之聲,不絕地聒噪於我的耳旁.我的身軀,好像塊腐肉,遍處在牠們的隊伍間.我好像牠們愛吃的東西:

「無謂呀!」我我心裏駡著,「你們這些貪慾的下流,嗡嗡些什麼呢?…………」我想要即刻睡去,便緊合上眼皮:隨著空中一陣劇烈的嗡嗡,蒼蠅的隊伍,在嘻笑的發狂。

牠們發狂地直至胡鬧:我不僅耳旁聽見嗡嗡了,頭面亦受到牠們蹄爪的搔爬.我忍耐着,我無法,我愈想迅速地入睡。

但牠們覺得這是機會了,乘間繼續來蝟集在我的頭上.我忍耐着 苦不能入睡,牠們的聰明的自大的嗡嗡之聲,好像侮蔑着我,又在聒噪着討論些什麼.死有什麽問題,又都好像被牠們解决了，牠們便繼着發出勝利的嗡嗡的相互讚美,於是有的飛起,飄揚地自喜着;有的便專心致志,叮着我的臉皮,使我發癢.

我不能入睡;我遏不住憤怒了.於是舉起拳頭.無着落的揮擊了幾下．但結果除空中一陣更激烈的嗡嗡之外,我的拳頭空空,並未俘獲到什麽．

任你揮擊着怎樣稠密,蒼蠅會趁隙逐逐而來．我感到失敗的苦味了.我心裏百端詈駡着,譏訕着．但牠們却善能嗡嗡地解嘲自傲．

「討厭的東西!我將撲殺你們!」我聳動了聳動,打個翻身,空張着聲勢,又假睡去了.

苦阿!蒼蠅憑恃着實力,仍不絕地來襲擊我.

我於是起立,恚怒着目視空中亂飛的蒼蠅．

「可恥的屈辱呀!我將束手受宰割嗎?」我憤恨地自念着．

蒼蠅自在的飛翔在空中,不理我,也不再來;我們在相持中．

『吃飯來!』室外忽然有人在呼叫我.

——172——

於是我的思潮,迅速地轉動。牠告訴我:「這塊地方是蒼蠅的國家。我跳身其中,是侵越了界限,犯了他族的惡。牠們的嗡嗡,出自「自決」,出自「敵愾」。我須立地退出……………」

於是我離開室內。

退出是退出了,但是何處有「非蒼蠅的國家」呢?我們眞將立足無所嗎?……

一九二五,七,一,

力的缺乏

一

他呆坐在教室裏冥思了.一排一排的書桌上,蠢動着無意義的許多黑頭.漸漸地蠢動變成浮飛,浮飛又變成消滅,便見一種新的現象,鮮明的呈獻在他眼前.

「骷髏——」他的靈魂急遽地叫了.

「骨架——」他的靈魂緊接地又叫.

「皮囊——」他的靈魂又緊接地叫.

於是骷髏,骨架和皮囊,便也緊急地連成一體,挺立在他的對面.

他十分頹喪地白瞪着眼皮:他明白在他的現在,要欣賞鬼劇了.一排一排的書棹跟前都搖動着蒼白的骷髏,白森森的骨架,槎枒地置放在骷髏之下,骨架外邊,飛着一剝落的乾皮,被空氣蕩得不時還破裂下幾多小片.

他慘笑了.隨聲流出幾顆冷的憤怒的淚粒.那淚粒很凝結地一直滾到他脚下的塵埃裏。

「咦咦!」他的靈魂哀鳴了:「骷髏!骨架!皮囊!沒有一點血肉,沒有一點內容的東西!這是他們的眞相:父母遺給子弟的原體如此!敎育!便是要促成這個義務.」

一點鐘後,他假睡在一個朋友的寢室裏.過去的歷史,縈迴在他的腦際,要求重新估定牠們的價値.最先來的是「厭世史」,他祇淺笑一下揭過了.其次是「享樂史」,他便怒目直視顯出十分的威壓的象貌,如是他那過去的自己,畏縮地跪在他的足下.他恨恨地想說些什麽,但是說不出來.怒火燒燃着他的胸膛,他覺忍無可忍了,便一脚踢翻了下跪的他,駡道:

「滾開!」他判决了他永遠徒刑.

他努力平靜着心氣,接着想他再一期的歷史.但是他永也想不起來.一頁一頁地揭亂在他的眼前,盡是白紙,空頁.他窘極了,吃力地絞着腦筋,要找到一些墨跡,但是終於失望,眼前祇有一大片漂渺的空白!

「噢噢!」他的靈魂歎息了:「無謂的歷史呀!白紙!空頁——沒有歷史——沒有生活——過去阿,羞恥!——未曾一次平身躺在生活上面——點跳着阿——生活。點跳在生活的皮毛之上。羞恥?羞恥!——我缺乏些「什麼」?………」

他驀地清醒了,他知道他正在缺乏着「什麼」。

同時他知道教室裏的那般學生,也缺乏的是這個「什麼」。

他為追求他所缺乏的到底是「什麼」,於是要不避一切地他往來人羣聚集之所。噪聒本是他素日不喜的,但他以為現在有從這裏找求什麼的必要。於是他走進一所噪聒的屋子裏。

許多朋儕都在座,對他都點首笑了一面。他便也擠入人羣,坐在當中。噪聒誠然噪聒,好像蛙鳴似的,起於四座。舌頭的窸窣,涎液的哽咽,都各自成了一派聲調,特異點的,較蛙鳴響亮而驚人,有喇叭之聲的「都都打打」地響着，惹得許多人停了蛙鳴而諦聽——傾聽一個緊急而重要的報告。

這令他很失望了，他暗地咒罵道：

「軀殼呀！………軀殼呀！蛙鳴——喇叭聲！一套空響！」

於是他的眼前又朦朧了．鮮明地又顯出幾顆搖動的骷髏，幾座槎枒的骨架，幾張剝落飛揚的乾皮。而且接近他的這些東西，還從骷髏上的一個黑洞子裏，吹出呼呼的冷氣。他懼怕慚愧，迅速地跳出門來，懺悔道：滿眼都是這幾件古董，這裏有「什麼」？

他知道這裏的人也和學生一樣的缺乏。

「我到底缺乏的是什麼呢？」他不絕地思想着。

二

正午的太陽，懶懶地灑射着大地。他徬徨在房簷下，憂苦地追求着「什麼」，不已地來往過踱。

好像一切在笑了：「追求是罔然。」他抬起頭來，遠近的看了一回，只見房屋，樹木，窗戶，簷頭的小雀，黃色的大地，都陪着太陽打盹。他驚異了，陡然便又覺得

——177——

大地的寂寥,灰色的天,悠悠地動着,似乎要臥下就睡.於是各屋子裏發出呼呼的睡聲;小鳥在房簷上躺倒了;房屋和樹木在大地上躺倒了;天也全盤倒下來了……,………

他便跑在一所睡倒的屋內思睡.

陡然一個[反抗]的感覺,出自他的靈魂,罵道:[打!他無意識地拿起拳頭在他的腦上,便猛擊了一拳。一切幻象於是都消失了,這裏顯出一個整齊直立的世界.

他直立在一個直立的屋子裏

他頓然明白了「打」的教訓,似乎「打」將給他以一種貴重的東西,爲他所找求不得的.他喜歡,他覺得全體飽騰騰地充塞了一種新感覺,「打打!」他要執行於自己了.

於是他猛掄起拳頭,翹起他的右股,吃勁地在上面惡打了十下:右股放下,又把左股翹起來,同樣惡打.打完了股,他便踢了一個飛脚,消散他那打的痛癢。他不惱怒他祇喜歡得欲狂.他兩足力踏着地面,雙拳左右飛舞着兇猛得像一隻野獸,他一跳跳在床上,兩手着床,兩足翹空有三尺餘高,砌然一聲,把全體放在床上了,床板「剝裂」的響着,他却隨聲兒好像一條大魚距踴似的,翻身到了地面。如是如是,他鍛鍊了十多次,汗如雨注地下滴,他却不感疲倦。

阿阿!他享到快樂了!他知道他的缺乏的「什麼」了。他滿面紅潤,表現出一種新生命來。他拳頭打着拳頭,休息的坐在床邊,自言自語道:

「原來我缺乏的是『力』。」

屋主進來了,是他的朋儕一個蠻勇的壯士。他一言不發,直跳起來,撲赤的一拳,便打在來人的臂膀上。於是他們交鬥起來,拳脚往來,直打得來人敗下去了

——你瘋了麼,朋友?

——我瘋了………

他們握手笑了一面。他的朋友很稱贊他,說他現在的力大了,簡直將打倒壯士。他也兀自歡喜着,不已地磨着他的拳頭,說道:

「噢,朋友,我缺乏的是力。」

三

自他發見他所缺乏的是「力」之後，力便奴使着他，不使他一刻自由。當他疲倦的要思睡時，力便打他醒來。當他作一篇小說半途將廢時，力便牽着他的手前進。當他膽怯時，力便給他勇氣。他於是變成一個勇往直前的青年，如山的充實，水的圓滿。

他在他的日記寫道：

「人類都是懶惰的細胞！懶惰的死滅的細胞的充塞體。我要教已死的細胞復活，起舞，爭鬥，流血………紅滴滴地映出生命。我要把「力」向脚趾，手指，以及心臟，毛髮，脈息裏去。我要追「力」去到我的生命的全體………」

他以爲他所需要的，祇是個「力」。只要力充足了，他能一足踢翻這個空虛的地球，一拳打塌了這個地球上的腐舊的建築，一口吹退包圍世界的爛臭空氣。他欣喜的追求着力，追到手足，追到腦筋，追到一切一切，追到任何。——他的自由，完全埋葬在力的範圍下了，但他歡喜着他時常經過一條小街。到學校給十三四歲的學生上課,道路的奔波,已往使他困倦的,現在成了他鍛煉「力」的日課。他出到門口,脚腿便前奔起來,不准緩步,一直奔到學校裏教室內爲止。

在這樣短促的旅行時間的,却仍然有許多使他悲觀的舊現象。他以爲學校像一座墓塚,道路便是一條黑的隧道。那裏仍祇有骨架,皮囊,骷髏—— 至好是死滅的細胞的堆積。

道路上時常看見一個少年姑娘,她大槪剛有十五六歲。她穿著柳條兒豔亮的衣裳,滿臉塗着白粉。脚下蹬着一雙紅緞新鞋,鞋頭上各簇着一個蝶兒,欵欵地跳動。路上的行人,無遠無近的,都集射目光在她身上。她却很自然地俏皮的跑跳着,向著那個醬菓舖子裏走去……………………

這便使他發怪了,朦朧裏他見看一副嬌娜地粉紅嬌嫩的面具,掛在骷髏上;飄飄着一張單薄的肉皮,隨著骨架走動。

——181——

他憤怒了,他想扭這顆骷髏在手。

如是,如是,他見到的人,都變成骷髏,骨架,皮囊的連絡。大的小的男的女的,現在都消失了他們的異點,而呈獻同一的眞相。

他憤怒了,他想扭這些骷髏在手。

他想骷髏是不配享受一切幸福。因爲幸福是「人」爭來的,是「力」爭來的…………

當他終於覺到力的未成熟與缺乏,忍氣閉目地經過這襄時,忽然一派韃韃的聲響,透入他的腦際。他睜目一看,只見一連兵士,走過他的跟前。雖然仍不免只是骷髏的搖動,並不使他見到一點血肉,然而骨架上顯現出一種東西,竟令他垂涎了。

「槍!槍!槍!」他接連的緊急羨慕着,手指吃力的抖索,他兩三次想走上前去,奪槍在手,然而終被一種冷戰慄阻止了,不敢前去。眼看的荷槍的兵士壓地過去了,他却呆站在街心,兩眼熱望着前面…………

「噢,」他的靈魂冷叫了。「那是力!那是力!我……」

一陣不可抵抗的羞慚，使他面紅耳熱，一直地急步走到學校.

四

他又冥坐敎室裏了。恚怒與煩惱，吞噬着他，他仍然看到骷髏，骨架，皮囊，——並且連他自己，也似乎萎縮了一層，血肉不知何時，消失在何地。在他自己的骷髏裏，尙能想到他的歷史，將來只是空白之頁。他所夢想的難達到了。他於是哭泣了.

忽然一個偉大的思想，蠢動任他的腦際。那思想蠕蠕的伸張着，驀地奔出腦來。結成一個偉大的身影。這身影一走動，便震撼得周圍許多骷髏，滾滾地紛亂下。落；骨架花喇喇的頹倒。

他歡喜了，他跑到那身影的面前，求告道：「請給我以力罷!」

「哈哈」!身影在譏訕的笑了：「你不仍是骷髏麼」

「我將求我不是。我的骷髏上，還留得幾道血紋。」

「你是歷史，你想使牠成爲力的紀載麼?」

——183——

「我的要求如此。」

「但是你爲甚麼告缺乏呢？你的力不在你的身旁麼？……」

那身影詰責着，一拳打在他的腦上。他痛得清醒過來了，眼前還留着一片幻象。

每當繁星閃爍的夜，黑暗的四面，壓來一種很沉重的力量時，他都狂喜着在學校操場中，豁練拳脚。有時他還拿拳頭猛擊着自己，表示對力的熱愛。他想從這兒得力的輸入，力的發生。

他這樣修練着力，歡喜而踴躍，將以力充實他生命上的缺乏。

一九二五，六，一八。

幻 境

燦爛的「南山」之花，今已凋零無餘了。青春的葱隆肥美的軀形，今已売脫無蹤了。

幾十年好像昨日似的，但一個短夢在我的心中猶自未醒。那白雲悠悠地過去了，我的心沉沉的在醉。

「開闢前途的大路去!」我的心如是叫喚。但是自家手軟了，又不見有手伸在我的手內。那光，耀耀然遠在千里之外，我遙望着牠，追不上去。

既然前路不能走去，何不返道奔馳呢!阿阿!所有的靈魂，都在飲遊惰的酒；我獨趦趄而傷意麼?

但「她」的忠實溫美的友情，我沒有法子忘却。阿!「理想」!鬼叫我攀登峻峻的絕壁。刈斬荒島的荊棘去!

我已經開步於路頭了，却無人應我一聲。萬籟都睡眠在寂寂之中，我的心於是徬徨而悵惘了

——185——

我豔羡海裏大魚的翻舞，我豔羡山中猛獸的吼叫.我的心想得到聲的幫助,但我的耳邊却常默然.

阿阿!「她」是個美女,「她」具有貞情!她並强的心靈一體存在.阿!我的「理想」!我久忘於佚樂了,閒着身體要貢獻你!

朋友,你在那裏?你不加我以力麼?天鬱鬱然要下雨了,我的心好像個失巢的鵝雀似的.

雨來了,如絲然.依依不斷的光景,好像一顆强的心戀戀於牠的理想一樣.這樣抽抽咽咽地下去，也有成了洪水的時候罷.

我的心在打憂慮的鼓;正若雨滴在淅瀝，那裏來一股大風,雨會由淅瀝而傾倒,當地便吞沒了地面呢?

如是,我將乘獨木泛濫於水之中央，跟着洪濤追逐去,直到衆流的匯聚的所在.

衆流奔騰着好像羣獸在舞；好像蠻族互相鬥爭一樣.我居中爲之排解指揮,使牠們由訌爭而相親,變做一條大河.

我命令牠爲我的前驅!澎湃磅礴的這條大河，就像戰馬的狂奔一樣,長驅直入到人間。

凡人間所有的累贅,都被牠一衝而去了。從前高低凹凸的地面,要叙牠平坦光淨像天宇一樣。

人間惟有水流,正若天上惟有雲彩。假使你能到雲端俯視下面,森茫茫地你見不到水的邊際。

你試極你的兩目之力,俯視水上的浮物吧。有聲呱呱地哭着的,那是新產的嬰兒。

那白骨沉沉的那裏來呢。這便是老人們的遺留。他們把這些朽骨,埋藏在往日的累贅裏。今日是敗露的一天!

水阿!水阿!你給我把這些朽骨推向深淵去罷。把那些嬰孩,置在一塊乾淨土上。

水阿!水阿!你的聲音仍然滔滔的這樣大!去!去!把地殼翻起來洗刷一番。

地 上還有蠻族盤踞的脚印,年代久遠了。深固的野蠻阿!翻下去!

不僅野蠻的屍骸充塞地表;屍骸腐臭的氣息,已瀰漫天空了。水阿!水阿!你跳躍!攀空追逐去阿!

——187——

水!水!我等待你的成功!我有美酒獻你!你給我逐去舊土的汚穢,開一塊新地出來。

我將立足在新地之上,養育那一羣嬰孩. 從水裏揀些果食來給他們吃,那是已經洗淨了的。

嬰兒吃了這些果食,我想他們成長的較快。並且他們會壯美,强毅、有力.我把他們臥在沙土上;那沙土像雲彩一樣溫柔。

這樣二十年,他們成人了——壯勇的戰士,我率領他們,要去征服强横的天行。

天地當作我們的家室;我們掘開自然的寶庫。只需要我們向自然討債,不需要自家相爭.

我們走上文化的始端,努力向前端走去. 有淨白的紙頁在手旁,預備寫我們的新的歷史。

我們歌舞在日夕霞落的時候.霞的光彩,糾纏着,發揮着,宇宙於是變做一個光體.

有音樂起於光輝之中,我們聽得見,但看不見。我們一對一對地攜手,歌舞着無窮的幸樂.

這是一片幻變的雲彩,我想剪他在手,但是我的手軟了。我想望朋友的幫助，像從井中救我起去！

那雨，還琤琤琮琮地不肯停止。阿！強的心靈。喲！

一九二五，八，十一。

實行者

在每一件奇異的影響中，我都見都所謂激昂的言論.那人物從嘴中骨都都地放出好似汗汁的泡花;他們將取此泡花作那件影響的最後代價.

但是又好像微風刮過乾燥的皮膚，莎莎裏便見有片片的陳皮落下.骨都都地泡花的言論烏有了，那件影響便同歸於盡.

言語麼?汗汁的泡花的澎漲呢?皮膚的乾片的剝落呢?阿阿!空虛的言論者啊!此所謂呻吟.

我曾一次,夢到偉大的真實的實行家,自他的不聲不響的精神裏,放射出浩大的壓力;那壓力如海洋似的將世間一切爭嚷霎時吞沒了!最高如藝術,也被壓迫地逃避喘息,而寂寂無聲了!

只有實行家的偉像,頂天立地般矗立著.

長大褂子.裝飾成個擺搖搖的紳士.這個欺世的藝術!這足以證明你腰中挾著的書籍,不是偷來的嗎

朋友,你未見實行家!倒見得多少長大褂子的紳士了!可憐你機會的貧乏呵!

世有實行家,視生命如鴻毛,視死如歸!

在每次愛國運動之中,總有幾個志士捨身殉難.我見義勇的殉難者自殺了:在江河中,在縊繩上,在毒藥下.

强敵不可抵抗,於是乃畏懼的自殺嗎?

强敵無罪,罪在己身,於是乃認罪的自殺嗎?

阿阿!我們自身是無抵抗的,不怕牠怎麼.那麼!自殺,自殺,好了!

朋友,告訴我:這是奴婢的短見呢?這是實行者的犧牲呢?

實行者沒有聲息;有則至剛至大,發自無聲息的實行裏.我如是信仰.

——191——

這個信仰,將取一切而代之;一切皆被征服,而「實行」開闢一草創的天地。

在此天地中,一切受着「實行」的號令。此號令雖無聲,但能使一切恐懼而猛進.

長大褂子裝成的紳士的骨頭朽了! 欺世的盜術的招牌倒了!矮小的;詭祕的言語息了!天地暫告靜寂。

腐敗的歷史被埋葬着;降服的自然被斧斤着; 荒山棘野,點首願變爲前途。

實行者沒有貧乏,因他在宰割着一切. 奪需用於竊盜的手中,手持着未來的富有之鑰匙。

在長久的無聲的天地裏,實行者前進,永不掉頭.只有江河海洋奔騰澎漲着來象徵他的生命。

我讚美着秋天

自從我病愈之後,我讚美着秋天。

我的病:有春困,夏懶,冬寒……等等,一如那每一個特別階級,得着每一種特別的病。

你不明白我的意思嗎? 你不明白我所意指的階級嗎?

春天是女子和詩人所特有的。我曾夢想過女子的豪華,詩人的名貴,於是我侵佔了春。

夏天是閒人和奴隸所特有的。我曾夢想過閒人的安逸,奴隸的逍遙,於是我侵佔了夏。

冬天呢?那是富人所獨有的,那是富人所獨有的!我的夢更深着:夢到富人的皮襖,外套,圍領,手爐和煖室……夢到闊綽的一切,於是我侵佔了冬。

你明白了我的意思嗎? 你明白了我所分列的階級嗎。

—198—

可是我病了！我不幸地因爲夢想與侵占便病起來了。說來好笑也可怕。

當我夢想着侵佔了春天時，那春天眞似乎特別垂情於我。她有姣好的面孔，與清脆的歌調，足以勾人靈魂。我陶醉着，與春天翕合爲一體了；我溫柔的像水，我善歌的像鶯兒。驀地我經歷了女子的豪華與詩人的名貴的歷史。於是我困憊了，我睡着了。與春相枕藉着。但當我睡醒時，出人意料的我一人臥在凋謝的草上。那春天早背我而跑的無踪無影了，我孤單的可憐，我乃大哭而至於病。

當我失意的渡到夏天，繼續着又發生了夢想與侵佔的慾望時，那夏天也眞似乎特別垂情於我。他給我合適的臥床，與現成的吃喝，足以使我安心。我感謝地拜倒在他的脚下了。於是我無思無慮地活在那裏。我如一條懶狗，夏天便是主人，當我吃完那主人倒給的破罐裏的剩飯，便不聲不響地躺倒在地，閉上眼睛睡了。於是那夏天掛起閒人與奴隸的圖像，給我瞧看，一種麻醉的滋味襲擊著我，我呼呼地安睡着。但當我睡醒時;我一人躺在潮濕的地上。夏天又不知道那裏去了!我徬徨無告 又懶又餓;我乃又大哭了,以至於病。

好不容易呵!我懶懶地爬過秋天;我無時不戰慄着。秋風似刀一般無情,我宰割在牠的刃下!我想我已無力跑到冬天了!於是我哭着……

當我被秋侮蔑着擲給冬天時,我如一個俘虜得到赦宥的歡喜;我倒在冬的抱中,哽咽着,稱她爲慈愛的母親。冬撫着我的額親嘴,傳給我一股溫熱;我瑟縮地睡着了。在我的夢中,看見她給我把嶄新的皮襖,外套,圍領披掛了滿身;火爐熱烘烘地放在我的身旁,我得意着暗笑。我覺得我驀地胖大了,站立起來,抖擻着皮襖外套.「富翁!富翁!」我得意地暗叫!這種厚重的滋味,闊綽的歷史,使我醺醉了,使我醺醉地睡倒了。但是不堪追念阿!當我睡醒時,我一人躺在冷的冰上,冬早又跑得不見了!於是我的心抖顫着,覺到不可收拾的失望;於是我哀泣,顛倒,病羸,瀕於死亡。

死神招我以黑旆,上寫着「降伏」二字。

——195——

降伏了好!「降伏」是平安與幸福的解釋.

我延頸在死神手執的長繩下. 繩索索地繚繞而上下.

我與死神親熱地攜着手,待着繩的吃緊.

好久幽閉的靈魂,忽然叫了:「羞恥!羞恥! 可憐的奴隸的死!」我怔忡而驚異着.

「羞恥!羞恥!可憐的奴隸的死!」我的耳,目,口,鼻手,足,頭髮,脈息,肺臟……一切在忽然之中, 都仰頭奮厲的叫.

我怔忡而驚異着.

我睜目怒視着自己.只見我的身體, 已化爲百骸之獨立體,而無所主屬.耳目,口鼻,手足,脈息,肺臟,……部各自站立起來,怒目睜視着我, 給我以又侮蔑又反抗的神氣.

我抑遏着怒,徐問道:「你們有反叛的力量麼?」

他們齊聲怒應道:「願效命!請革去你病的使令!」

我悵然無主地從胸掏出血淋淋的一顆心來. 擲在道旁.五官百骸,狂呼歡叫.

索喇的一聲,繩索躲開我的頸頸,死神逃去了.我邁步走出曠野,這里已無所謂春夏與冬的繼承,只有秋風在叫出戰聲.

我凝望着寥闊的天,站着不動.在我脚下,時間極快的跑着:一個世紀,二個世紀,三個世紀…….

我重復强健起來,戰聲遙遙而來自「未來」,漸至逼近我的耳下.我激剌於血腥的臊味,我將舉步

秋風助着戰聲吶喊,我乃放歌,讚美着秋天

野 火

風

喂:我的愛人,我將告訴你以我的名字.你呼我爲愛人時,你須掉轉口腔了.我的名字叫做「風」:牠是塵沙的翅。

我開初便給你寫信,自我變作塵沙的翅.旁人呢?我不必要告訴他們;因爲塵沙將須迷打上他們的眼睛.

我的朋友,你不認識麽?他們擕着飛沙和走石,急雨和迅雷親愛地勇悍地殺向人間去了.我必須幫他們吶喊,在他們的後面.

你不須哭,因爲我是不會死掉.祇有風打了人,沒有人抵得住風.

好呀!愛人!你聽見大風,起時你便找見我了.我留給你這個找尋愛人的記號.

更好是你要常見你的愛人時,你隨我變作了風.

我告訴你,我必須變作「風」;而風所以打上人的眼睛的原因.

有一條路的開端,站着許多人,人將向路之上開步了,風跟在他們的後面.

英雄們邁步走着,卑怯者觀望.風吼着似呼發怒了,牠發見卑怯者的伎倆,不在觀望,而在拆行者之橋.

於是英雄者的後路,常被觀望者打斷;前路的鬥爭疲之時,他們便倒斃於彼;殉義而死.

卑怯者得意的笑,像葫蘆欲破似的。他們笑血是白流,死是活該.路上的死屍狼藉著,他們加以詈罵與痛恨的憑弔.

前進的死者,得其死所的英雄瞑目了.他們將謂後來者必繼死者.然而聰明的卑怯,令一般人覺到不上這條路的大義而必須給予死者以誑騙了.

瞑目者瞑目的無知,於是倒退者自稱其義勇.大路上的死屍的形骸腐爛了,義勇者的影子退下去了,

一條路漸歸靜般般地

風於是乎怒:牠不能給前進者吶喊了; 牠須追襲倒退的綿羊兒們,追到屠戶的門前.

倒退者的安樂鄉,便是慈善的屠舖。因爲風已經打迷了羊兒們的眼睛,直待喫刀時才會睜開。

喂!愛人,這便是我變作「風」;而風所以打上人的眼睛的原因　　　　——忘却日

嘈　嘈

愛人:我告訴你以嘈嘈的故事。你聽見定會笑。

一個首都出了殺人案了,死者好像蟻羣似的。巨犯是當今的皇帝,而死者爲不服王化的頑民.

首都裏嘈嘈地議論此事, 但也不見嘈嘈外更有何事.我這裏——呵!這個羊兒們的圈地,也有些腥風刮來了。因爲在我臉上開始覺到些熱烘,

羊兒們亦若不舒服地,有幾聲哶哶的弱鳴, 出在羣的中間。接着附和的便多,使我好像又是夏天來了,蚊蠅們在飛。

——200——

但是不五分鐘，聲息便由低弱而消滅。羊兒們困倦般的，好像出了甚麼大力，便軟軟地跪倒了。

這些怪東西！眞是殺材！騙了我了！當牠們轟鳴時，我簀過在那個首都的殺人場裏，似乎形勢更緊急些；但是牠們不時跪倒了。我便以爲這個殺人的鉅案，已由反抗而得到勝利的解决了。呵！我做夢呢。

有一顆頭顱這樣的喊叫道：「革命麼？狂亂的小子們！血是白流，政府不償人命！」

當下得到嚴厲的反詰是：「你讓誰償你的命呢，你自居於奴隸的人們？」

又一顆頭顱喊叫道：「便叫小子們死個完盡，好讓洋人不費匹馬單刀，收拾了這個國土去！」

當下得到嚴厲的反詰是：「你怕中國人死乾淨麼？你做夢！保你們四百兆人，有三百九十兆趕上當洋奴去！而且你更不會失此幸運！」

頭顱道：「哼哼！救國不是拿命摸得的……」

反詰道：「何如呢？」

——201——

頭顱道:「何如呢?因爲你們除命之外,甚麽都沒有.」

反詰道:「我們沒有利器麽?」

頭顱道「是呀!」

反詰道「請借給我們你的利器?」

頭顱道:「我也沒有.他只恨不趕緊去製造!」

反詰道:「在沒有利器的時代裏,如何辦呢?」

頭顱道:「那就只有以生命代利器的一個辦法了麽?」

反詰道:「我們在無法裏安心於此.」

頭顱道:「我安心於安心呀.………」

反詰道「你安心於睡覺麽?………」

頭顱道:「不安心的是暴徒:事固不會成,而且會壞.」

反詰道.「利器在你的安心裏,何時製造出來呢?」

頭顱道:「製造成時.」

反詰道:「你是待敵人給你們作製造師麽?監督者麽?」

頭顱道:「不會有這事!不會有這事!」

反詰道:「然而我們的利器成功時,也許在你們的前面,」

頭顱道:「……哼……哼………你們是政府的破壞者,一切的破壞者!」

反詰道:「是!我們是破壞者。」

頭顱道「你們認不清敵人,府院門前的死,何如死在大沽口外?」

反詰道:「但是上海英馬路上也死有的,但是府院前也可以死的.同是光榮的所在。」

頭顱道:「這樣死,血是白流的!血是白流的……」

反詰道:「我們希望你的同情麽?」

頭顱道:「你們不常說同情早已死掉了麽?」

反詰道:「我們希望給你們爭回些——」

頭顱道:「我更不稀罕!」

反詰道:「哈哈!好的!」

頭顱道:「哈哈甚麽,這樣的白鬥爭,我實在看夠了,會有成功的時候麽?」

反詰道:「你將如何活下去?」

頭顱道:「我沒有你的暴氣,我安心做和尚去,倒

也免少一個爭權奪利之徒!」

反詰道:「是的!我們死去,你做和尚,念經去,給我

們超度.只要國不亡時,我們的鬼,仍然能

聽到你的妙舌哩!」

頭顱道:「國不會亡——」

反詰道:「國不會亡?我們的鬼將感激你的超度.」

這是何等嘈嘈的一幕劇呢?完了,完了,我的愛人

——忘却日

野　火

燎原的野火燒着了,風趁勢在怒吼。但是火未曾!

燒到人間,人間也並未曾聽見火的叫喊。

仍然有白瘦的面孔在俯仰着.俯地仰天地,在無

聊中無頓.火勢雖然浩大,但除却他的本身,可以說

「如是其靜寂!」

攏來攏去,黃白的面孔夠兩三對了.其間雖有甚

麽重要的氣息發出,但並非我們長着耳朵的人所能

聽見。

好像悠悠然面孔們有所歎息，俯仰個不住。欠伸和呵欠表示出面孔們的失意。男的便抽根烟吸，女的便抱着娃子又復呼呼打鼾去了。

娃子們本是善哭的，但我們並不能聽到。在這些面孔的抱中，他們竟也習染地善睡了。

野火怒吼着，終於怒吼罷了。更無人會理他。

然而野火真怒了，風助着勢。牠勒回衝天的火焰直射到人間。風助着勢，一往向前地直撲去了。

於是在不知不覺中，火做了巨大的墓塚。在這個墓塚裏，更不曾聽到鬼哭。

…………

如是如是，而野火起矣！如是如是而野火怒矣！

天上的星！地下的火！光明的姘頭呵！

我希望有一個美的朋友是星！

我希望有一個强的朋友是火！

我姑且變作風！

他們是光明的姘頭，向前去了。

我助着勢!

寂寞麼?混帳火只在心頭燃着,不會燒出來麼?……

……

我的家被人封閉了,我的手足被人桎梏了,我的口被人箝了;於是我的心頭的火,燒着我的心.

我的朋友說:「城門的心是鐵吧!」於是鐵的心燒紅起來.

有幾個心不是肉的呢?不經燃燒的軟小子啊!爲何你不燒紅起來,而乃化爲灰燼呢?

世界差不多是一堆灰燼,等待着有力者的吹嘘.

入在你的眼簾的多數的軀壳,包圍着一二顆燒紅的心.世界原來是這般不值甚麼!

我病了麼?我心中繫念着火.似乎我受夠敵方壓迫的麻煩了,我已決志報仇.我取大包圍的形勢,我放野火,星子般的野火.敵人與我交戰於野中,我以火衝鋒,我又以火殿後,毀滅了罷,下流的東西們!想盡法子也不會弄你們走上正路來！那末，還是給我毀滅了罷！我再不信服甚麼主義能醫救你們了。

惟有火使你們乾淨，且使我乾淨。戰爭不惡其大而惡其小，假使世界上可燃物都燃着時，腐敗的地球所背負的一切傀儡便都灰燼了：不須你費甚麼苦心再招呼他們，惹得他們混亂混嚷。因爲——

生活是不能被人背負着邁上正路的。

寄獨夫

朋友獨夫，現在生懼了。他給我來信說：只有恐懼佔據他的心。「這是無產的反抗者的最後麼？」我疑惑。

「本沒有什麼，便當做什麼。」這是懼之原。我說朋友「你怎麼了？」在你所能反抗之內儘反抗罷，你的門口有井，敵人不會斷絕了你的食源。而且你還有手；你的手托着你的力，堪以鬥爭。

但是這也許慰不了他的心。但是我並不想安慰人。

他疲倦了，這是實話。我會他的一次，他曾說道：

——207——

「我幾乎不會動怒了.」我知道他只有疲倦是剩餘.便解道:「養養吧!拿幾樽婦人的酒.」其實這樣的酒也喝夠了,只是沒有幾個朋友,從醉裏給他些武器.於是他白着手,渾醉,漂蕩,以至於發生恐懼.

他也許是性急了些,本來這塊國土,才有了些小的旋風,那裏能當下看到翻天覆地的暴風.我們不過聚合着掄動風機,助風暴地罷了,那裏能便在風下,殺伐敵人.但這助風起勢,也便夠我們一生欣慰了.

風盛火起的日子,都在我們的最後一日.卽使世上的火點,在我們的一生還未聚攏來,然而我們各個也必須放幾趟較大的野火,在最後的一日,以留紀念.

就這樣聊以自慰吧!我們的世界,也許是千萬年後子孫們的世界;但是我們的火,留有痕迹,我們仍然活着.我們就幹着這樣無意義無代價的勾當.

可樂的你且樂樂,我不反對你飲酒.酒也許使你醒轉過來,健壯過來,跳出恐懼的圈子.

「壓迫」這小子的一大套的手段,我們早稔熟了.在我們的歷史上,寫滿飢寒困頓血和監獄等字.但光榮與責任,也常隱在字後.

詭隨詭隨,玩玩把戲,的確也躲不過.你寄形於詭隨,將你的精神,奉在祕室吧.從祕室裏透出的風火,也不必令人認作你的呼吸,

我們都在祕室中,然而我們都司着風火.假使我們有這樣千百個伙伴,世界便是我們的了.你懼什麼

我們的風頗起勁.伙伴都很努力.

祝

你轉回來再幹!

三,十二。

花木蘭文化事業有限公司聲明啓事

此次《民國文學珍稀文獻集成》出版，有賴各位作者家屬大力支持，慨然允贈版權，遂使這巨大的文化工程得以開展。本公司全體同仁在此向各位致以誠摯的謝意！

由於民國作者人數眾多，年代久遠且戰火頻繁，本公司傾全力尋找，遍訪各地，能夠找到的後人，得其親筆授權者，爲數甚寡。更多的情況是，因作者本人下落不明，連版權情況都無從知曉。

因此，本公司鄭重聲明：

此叢書所錄專著，凡有在版權期內而未授權者，作者家屬可與本公司聯繫，本公司願奉送相關贈書 50 冊爲報酬，補簽授權協議。

望家屬看到此通知後與本公司聯繫。聯繫信箱：hml@vip.163.com

花木蘭文化事業有限公司